マーケティング用語図鑑
改訂版

新星出版社

はじめに

　仕事で、マーケティングの知識が必要になる人は多いと思います。そのとき、高いハードルとなって立ちはだかるのは、マーケティング用語の数々でしょう。アメリカ生まれのカタカナ用語、その頭文字をとった3文字略語、日本語に訳した4文字熟語、どれもとっつきにくいものばかり……。

　このハードルを何とか低くできないかと考えたら、こんな用語図鑑ができました。図鑑ですが、Chapter1 から順に読み進めていけるように構成してあります。最後の Chapter を読み終えるころには、ひと通りのマーケティング用語に触れているという仕掛けです。

- とくに、ウェブやソーシャル・メディアなど、デジタル・マーケティングの用語は厚くとり上げました。
- さらに詳細な用語については、巻末付録としてマーケティング用語事典を付けています。
- 読み終えた後、あの用語をもう一度調べたいという場合のために、用語を細かく網羅した索引をつくってもらいました。

　このマーケティング用語図鑑が、みなさんの知識の習得に役立つことを願っています。

本書の制作に携わった全員を代表して
野上 眞一

改訂版　マーケティング用語図鑑　[目 次]

はじめに …………………………………………………… 3

Chapter

マーケティングの基本用語

マーケティング ………………………………………… 20
　セリング ……………………………………………… 21
マッカーシーの4P ……………………………………… 22
マーケット・イン ………………………………………… 23
　プロダクト・アウト …………………………………… 23
顧客志向 ………………………………………………… 24
　生産志向 ……………………………………………… 25
　製品志向 ……………………………………………… 25
　販売志向 ……………………………………………… 26
　マーケティング志向 ………………………………… 26
ラウターボーンの4C …………………………………… 27
マーケティング・ミックス ……………………………… 28
　アメリカ・マーケティング協会 ……………………… 29
ホリスティック・マーケティング ……………………… 30
ニーズ …………………………………………………… 32
　ウォンツ ……………………………………………… 33
　シーズ ………………………………………………… 33
市場 ……………………………………………………… 34
STP ……………………………………………………… 35
ブランド ………………………………………………… 36
顧客価値 ………………………………………………… 37
マーケティング・マネジメント・プロセス …………… 38

Chapter 2

市場と顧客の用語

- ベネフィット ……………………………………………… 42
  - 近視眼的マーケティング ………………………… 43
  - 顧客知覚価値 ………………………………………… 44
- 顧客満足 …………………………………………………… 46
- 顧客生涯価値 …………………………………………… 47
  - カスタマー・エクイティ ………………………… 48
  - 顧客ロイヤルティ ………………………………… 48
  - CRM ………………………………………………………… 49
  - リテンション・マーケティング ……………… 49
  - 購買行動 ………………………………………………… 50
- 準拠集団 …………………………………………………… 52
  - オピニオン・リーダー …………………………… 53
  - ライフサイクル ……………………………………… 53
- マズローの法則 ………………………………………… 54
  - 欲求段階説 …………………………………………… 55
  - 生理的欲求 …………………………………………… 55
  - 安全の欲求 …………………………………………… 56
  - 愛情と帰属の欲求 ………………………………… 56
  - 承認（尊重）の欲求 ……………………………… 57
  - 自己実現の欲求 ……………………………………… 57
- AIDMAの法則 …………………………………………… 58
  - AIDAの法則 ………………………………………… 58
  - AISASの法則 ………………………………………… 59
  - AIDCAの法則 ………………………………………… 59
- カスタマー・ジャーニー・マップ ……………… 60
  - ペルソナ ………………………………………………… 61

改訂版　マーケティング用語図鑑　［目次］

ファネル ……………………………………………… 61
マス・マーケティング ……………………………… 62
ミクロ・マーケティング …………………………… 63
セグメント・マーケティング ……………………………… 64
　ニッチ・マーケティング ………………………… 65
　エリア・マーケティング ………………………… 65
ワン・トゥ・ワン・マーケティング ……………………… 66
　カスタマリゼーション …………………………… 66
セグメンテーション ………………………………………… 67
　デモグラフィックス ……………………………… 68
　ライフステージ …………………………………… 68
　サイコグラフィックス …………………………… 69
　ライフスタイル …………………………………… 69
ターゲティング ……………………………………………… 70
　単一セグメント集中 ……………………………… 70
　選択的専門化 ……………………………………… 71
　製品専門化 ………………………………………… 71
　市場専門化 ………………………………………… 71
　フルカバレッジ …………………………………… 72

Chapter 3

ブランド戦略の用語

ブランド・アイデンティティ ……………………………… 74
　ブランド・イメージ ……………………………… 75
　ブランディング …………………………………… 76
　ブランド・ロイヤルティ ………………………… 76
ブランド・エクイティ ……………………………………… 77

ブランド階層	78
ブランド戦略	79
ポジショニング	80
KBF	80
ポジショニング・マップ	81
差別化戦略	82
ファイブ・フォース・モデル	83
競合他社の脅威	84
新規参入の脅威	84
参入障壁	85
代替品の脅威	85
買い手の交渉力	86
売り手の交渉力	86
マーケット・シェア	87
マインド・シェア	87
ハート・シェア	87
競争戦略	88
マーケット・リーダー	89
マーケット・チャレンジャー	89
マーケット・フォロワー	90
マーケット・ニッチャー	90

改訂版　マーケティング用語図鑑　[目次]

Chapter 4
マーケティング戦略の用語

経営戦略 …………………………………………… 92
コア・コンピタンス ……………………………… 93
　ケイパビリティ ………………………………… 93
アンゾフの成長マトリックス …………………… 94
　統合的成長 ……………………………………… 96
　多角的成長 ……………………………………… 96
SWOT分析 ………………………………………… 97
　機会 ……………………………………………… 98
　脅威 ……………………………………………… 98
　強み ……………………………………………… 99
　弱み ……………………………………………… 99
クロスSWOT分析 ……………………………… 100
　積極的攻勢 …………………………………… 101
　差別化 ………………………………………… 101
　段階的施策 …………………………………… 102
　専守防衛または撤退 ………………………… 102
　USP …………………………………………… 103
　KSF …………………………………………… 103
マーケティング環境分析 ……………………… 104
3C分析 …………………………………………… 105
PEST分析 ………………………………………… 106
GCS分析 ………………………………………… 107
5F分析 …………………………………………… 108
4P分析 …………………………………………… 109

- PPM分析 ································· 110
  - 花形製品 ····························· 111
  - 金のなる木 ··························· 111
  - 問題児 ······························· 111
  - 負け犬 ······························· 111
- ポーターの競争優位の戦略 ················· 112
  - コスト・リーダーシップの戦略 ·········· 113
  - 差別化の戦略 ························· 113
  - 集中の戦略 ··························· 113
- ランチェスター戦略 ······················· 114
  - ランチェスターの第1法則 ·············· 114
  - 一点集中 ····························· 115
  - ランチェスターの第2法則 ·············· 116
- ブルー・オーシャン戦略 ··················· 117
  - レッド・オーシャン ··················· 117

Chapter 5

マーケティング・リサーチの用語

- マーケティング・リサーチ ················· 120
- 一次データ ······························· 121
  - 二次データ ··························· 121
- 仮説思考 ································· 122
  - シーズ志向 ··························· 123
  - ニーズ志向 ··························· 123
- 定量調査 ································· 124
  - 定性調査 ····························· 124
  - サーベイ調査 ························· 125

改訂版　マーケティング用語図鑑　［目次］

　　面接調査 ……………………………………… 125
　　ネット調査 …………………………………… 126
　　観察調査 ……………………………………… 126
　　フォーカス・グループ・インタビュー …… 127
　　アドホック調査 ……………………………… 127
サンプリング …………………………………… 128
クロス分析 ……………………………………… 129
クラスター分析 ………………………………… 130
　　多変量解析 …………………………………… 131
　　テキスト・マイニング ……………………… 131
トレンド ………………………………………… 132
　　ファッド ……………………………………… 132
マクロ環境 ……………………………………… 133

Chapter 6

製品戦略の用語

製品 ……………………………………………… 136
製品レベル ……………………………………… 137
　　中核ベネフィット …………………………… 137
　　基本製品 ……………………………………… 138
　　期待製品 ……………………………………… 138
　　膨張製品 ……………………………………… 139
　　潜在製品 ……………………………………… 139
コープランドの製品分類 ……………………… 140
　　最寄品 ………………………………………… 140
　　買回品 ………………………………………… 141

専門品 …………………………………… 141
耐久財 …………………………………………… 142
　　　生産財 …………………………………… 142
製品ライン ……………………………………… 143
　　　製品ミックス …………………………… 143
パッケージング ………………………………… 144
ラベリング ……………………………………… 145
イノベーションのベルカーブ ………………… 146
　　　イノベーター …………………………… 146
　　　アーリーアダプター …………………… 147
　　　アーリーマジョリティ ………………… 147
　　　レイトマジョリティ …………………… 148
　　　ラガード ………………………………… 148
製品ライフサイクル …………………………… 149
　　　導入期 …………………………………… 150
　　　成長期 …………………………………… 150
　　　成熟期 …………………………………… 151
　　　衰退期 …………………………………… 151
マーチャンダイジング ………………………… 152
　　　5つの適正 ……………………………… 152
ABC分析 ………………………………………… 153
　　　パレートの法則 ………………………… 154

Chapter 7 価格戦略の用語

- プライシング ················· 156
    - 市場浸透価格設定 ················· 157
    - 上澄み吸収価格設定 ················· 157
    - 需要曲線 ················· 158
    - 価格弾力性 ················· 158
    - マークアップ価格設定 ················· 159
    - ターゲット・リターン価格設定 ················· 159
    - 知覚価値価格設定 ················· 160
    - バリュー価格設定 ················· 160
- PSM分析 ················· 161
    - エブリデー・ロー・プライシング ················· 162
    - ハイ・ロー・プライシング ················· 162
    - 現行レート価格設定 ················· 163
    - オークション価格設定 ················· 163
- 価格適合 ················· 164
    - 地理的価格設定 ················· 164
    - 価格割引 ················· 165
    - 販促型価格設定 ················· 166
    - ロスリーダー価格設定 ················· 166
    - 差別型価格設定 ················· 167
    - 価格ライン ················· 167
    - キャプティブ製品価格設定 ················· 168
    - 2段階価格設定 ················· 168
- 心理的価格設定 ················· 169
    - サブスクリプション ················· 170
    - プライス・リーダー ················· 170

Chapter 8

チャネル戦略の用語

チャネル	172
流通チャネル	173
プッシュ戦略	174
プル戦略	175
マーケティング・チャネル	176
垂直的マーケティング・システム	178
水平的マーケティング・システム	179
マルチチャネル・マーケティング・システム	179
サプライ・チェーン・マネジメント	180
プライベート・ブランド	182
ナショナル・ブランド	182
ロジスティクス	183

Chapter 9

コミュニケーション戦略の用語

マーケティング・コミュニケーション	186
コミュニケーション・ミックス	187
メッセージ戦略	188
クリエイティブ戦略	188
メッセージの発信源	189
ハロー効果	189

改訂版　マーケティング用語図鑑　[目次]

- ブランド・コミュニケーション ……………………………… 190
- コミュニケーション・チャネル ……………………………… 191
- 広告 ……………………………………………………………… 192
- 5つのM ………………………………………………………… 193
- メディア ………………………………………………………… 194
  - リーチ ……………………………………………………… 196
  - フリークエンシー ………………………………………… 196
  - インパクト ………………………………………………… 197
  - GRP ………………………………………………………… 197
- 販売促進 ………………………………………………………… 198
  - SP広告 …………………………………………………… 200
    - デジタルサイネージ …………………………………… 201
    - 交通広告 ………………………………………………… 202
    - 屋外広告 ………………………………………………… 202
- イベントと経験 ………………………………………………… 203
- パブリック・リレーションズ ………………………………… 204
  - プレス・リリース ………………………………………… 205
  - プレス・カンファレンス ………………………………… 205
- パブリシティ …………………………………………………… 206
- ダイレクト・マーケティング ………………………………… 208
  - ダイレクト・メール ……………………………………… 209
  - カタログ・マーケティング ……………………………… 209
  - テレ・マーケティング …………………………………… 209
- 人的販売 ………………………………………………………… 210
- 統合型マーケティング・コミュニケーション ……………… 211

Chapter 10

デジタル・マーケティングの用語

デジタル・マーケティング ･････････････････････････････ 214
 オムニ・チャネル ･････････････････････････････････ 215
 ショールーミング ･････････････････････････････････ 215
 トリプル・メディア ･･･････････････････････････････ 216
 ペイド・メディア ･････････････････････････････････ 216
 オウンド・メディア ･･･････････････････････････････ 217
 アーンド・メディア ･･･････････････････････････････ 217
 シェアード・メディア ･････････････････････････････ 218
 PESOメディア ･･･････････････････････････････････ 218
 マーケティング・オートメーション ･････････････････ 219
 SFA ･･･ 219
ウェブ・マーケティング ･････････････････････････････ 220
サーチエンジン・マーケティング ･････････････････････ 221
 自然検索 ･･･ 221
 SEO ･･･ 222
 検索連動型広告 ･･･････････････････････････････････ 222
 検索クエリ ･･･････････････････････････････････････ 223
 検索キーワード ･･･････････････････････････････････ 223
 検索エンジンのアルゴリズム ･･･････････････････････ 224
 コンテンツ・マーケティング ･･･････････････････････ 224
 インバウンド・マーケティング ･････････････････････ 225
 アウトバウンド・マーケティング ･･･････････････････ 225
 MEO ･･ 226
 KPI ･･･ 226
アクセス解析 ･･･････････････････････････････････････ 227
 セッション ･･･････････････････････････････････････ 228
 ユニーク・ユーザー ･･･････････････････････････････ 228

改訂版　マーケティング用語図鑑　［目 次］

   ページ・ビュー数 ………………………………… 229
   平均ページ・ビュー数 …………………………… 229
   新規率 ……………………………………………… 230
   直帰率 ……………………………………………… 230
   離脱率 ……………………………………………… 231
   平均滞在時間 ……………………………………… 231
   コンバージョン …………………………………… 232
   コンバージョン率 ………………………………… 232
   LPO ……………………………………………… 233
   ランディング・ページ …………………………… 233
   EFO ……………………………………………… 234
   レコメンド ………………………………………… 234
   A／Bテスト ……………………………………… 235
   Google アナリティクス ………………………… 235
バナー広告 …………………………………………… 236
   テキスト広告 ……………………………………… 236
   記事広告 …………………………………………… 237
   ネイティブ広告 …………………………………… 237
   動画広告 …………………………………………… 238
   リスティング広告 ………………………………… 238
   Google 広告 ……………………………………… 239
   Yahoo! 広告・検索広告 ………………………… 239
   コンテンツ連動型広告 …………………………… 240
   GDN ……………………………………………… 240
   ディスプレイ広告 ………………………………… 241
   Google アドセンス ……………………………… 241
アドネットワーク広告 ……………………………… 242
   リターゲティング広告 …………………………… 242
   アドエクスチェンジ ……………………………… 243
   DSP ……………………………………………… 243
   SSP ……………………………………………… 244
   RTB ……………………………………………… 244

- アドテクノロジー ……………………………… 245
- 運用型広告 …………………………………… 245
- アフェリエイト広告 ……………………………… 246
  - PPC広告 …………………………………… 246
  - インプレッション課金型広告 …………………… 247
  - 期間保証型広告 …………………………… 247
  - Facebook 広告 …………………………… 248
  - X（旧 Twitter）広告 ……………………… 248
  - LINE 公式アカウント ……………………… 249
  - YouTube 広告 …………………………… 249
- CPA …………………………………………… 250
  - CPC ………………………………………… 250
  - CPM ………………………………………… 251
  - CTR ………………………………………… 251
  - CPO ………………………………………… 251
  - CPD ………………………………………… 252
  - CPE ………………………………………… 252
  - アドフラウド ………………………………… 253
  - メール広告 …………………………………… 253
- 企業ブログ ……………………………………… 254
  - キュレーション ……………………………… 254
- モバイル・マーケティング ……………………… 255
  - 公式アプリ …………………………………… 256
  - 位置情報連動型広告 ………………………… 256
- SMM …………………………………………… 257
  - SNS マーケティング ………………………… 257
  - モバイル・フレンドリー ……………………… 258
  - UGC ………………………………………… 258
  - ハッシュ・タグ ……………………………… 259
  - Facebook …………………………………… 259
  - X（旧 Twitter） ……………………………… 260

改訂版　マーケティング用語図鑑　[目次]

　　　LINE ……………………………………………… 260
　　　Instagram ……………………………………… 261
　　　YouTube ………………………………………… 261
　　　ソーシャル・リスニング ……………………… 262
　　　MROC …………………………………………… 262
　動画マーケティング ……………………………… 263
　メール・マーケティング ………………………… 264
　　　メール・マガジン ……………………………… 265
　　　オプト・イン …………………………………… 265
　バイラル・マーケティング ……………………… 266
　　　ステルス・マーケティング …………………… 266
　　　インフルエンサー ……………………………… 267
　　　アルファブロガー ……………………………… 267
　　　クチコミ・マーケティング …………………… 268
　　　バズ・マーケティング ………………………… 268
　キャズム …………………………………………… 269
　ロングテール ……………………………………… 270
　フリーミアム ……………………………………… 271
　ビッグデータ ……………………………………… 272
　マーケティング 3.0 ……………………………… 273
　　　マーケティング 4.0 …………………………… 273

〈巻末付録〉
マーケティング用語事典 …… 276〜293

　索　引 ……………………………………… 294〜303

編集協力／有限会社クラップス
DTP・図版／田中由美

Chapter 1

マーケティングの基本用語

フィリップ・コトラー
（1931年〜）

マーケティング

マーケティングとは何か——人によって、抱いているイメージは違うと思います。とくに、勤めている会社に「マーケティング部」があったりすると、そこが主に何をしているかでイメージが決まったりして。

マーケティング？
市場調査とかして「消費者のニーズはこれです」なんてリポートを出すんでしょ

違うよ。テレビコマーシャルとかうって、商品が売れるようにするんだよ
（ウチの会社のマーケティング部は…）

どちらもマーケティングの一部ですが、全体ではありません。「マーケティング」の、世界でいちばん短い定義は、おそらく**コトラー**先生の次の言葉です。「**ニーズに応えて利益をあげること**」。そこで、商品やサービスが、ニーズに応えていると、どうなるかというと……。

あら、私にピッタリこれ、いただくわ

まいどありがとうございまーす

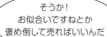

これで今月も給料が払えるな

そうか！お似合いですねとか褒め倒して売ればいいんだ

マーケティングとは**ニーズに応えて利益をあげること**

who's who

フィリップ・コトラー（1931年〜）
「マーケティングの神様」「近代マーケティングの父」とも称される経営学者、マーケティングの世界的権威。著書『マーケティング・マネジメント』ほか。

セリング

「そうか！ お似合いですねとか、褒め倒して売ればいいんだ」と考えた、そこのあなた。それも違います。それは「セリング」です。
　セリングは、すでにある商品やサービスから出発して、それを「どうやって売るか」を一生懸命に考え、顧客に売り込みます。販売の現場では大切なことですが……。

　これに対して「マーケティング」は、顧客のニーズから出発して「何を、どうしたら売れるか」を考えます。
　マーケティングがうまくいくと、どうなるかというと……。

　商品を「売る」のではなく、商品が「売れる」のです。ドラッカー先生も「マーケティングの目的は、セリングを不要にすること。（中略）ひとりでに売れるようにすることだ」とおっしゃっています。

who's who

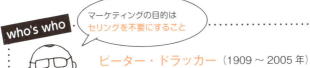

マーケティングの目的は
セリングを不要にすること

ピーター・ドラッカー（1909～2005年）
「現代経営学の巨人」「マネジメントの父」とも称される経営学者。主著『マネジメント』ほか、多数の著作がある。

マッカーシーの4P

4P、4つのP、マーケティングの4P

商品やサービスがひとりでに売れるなんて、どうしたらそんなことができるんでしょう？ ここに「**マーケティング・ミックス**」(☞P.28)という考え方があります。マーケティング目標を達成するために、いろいろな戦略を組み合わせようというもの。ここではその1つである「**マッカーシーの4P**」を見てみます。

つまり、ニーズ（☞P.32）に応えた**製品**をつくり出し、ニーズに応えた**価格**で、ニーズに応えた**流通**に乗せて、ニーズに応えた**販売促進**をおこなう、そうすれば「売れる」ということなのです。良い製品とか、安い価格とか、1つだけで「売れる」ものはできません。

マーケット・イン

マーケット志向

　４Ｐの中心には、**標的（ターゲット）顧客**がいることに注意してください。このように、標的顧客を中心に考えて商品やサービスを開発し提供していくことを「**マーケット・イン（マーケット志向）**」といいます。顧客ニーズを知るために徹底的に調査し、欲している商品をつくります。

プロダクト・アウト

　マーケット・インに対して、つくり手が良いと思うものをつくり、つくったものを売るという考え方が「**プロダクト・アウト**」です。

　プロダクト・アウトは、これまでにない新しい商品を顧客に提案します。たとえば、フェイスブックが登場する前は、こんなサービスのニーズが高いと考えた人はいなかったでしょう。プロダクト・アウトがニーズを掘り起こしたものは、爆発的に売れる可能性があります。

顧客志向

　マーケット・インは「market oriented（マーケット志向）」ともいいます。マーケット志向をさらに推し進めると「customer oriented」、すなわち「**顧客志向**」になります。
　顧客のニーズに応える製品を市場に提供することで、顧客に満足してもらい、かつ自分たちも利益を得られるという考え方です。

　これで、**コトラー先生の定義**（☞P.20）も説明ができましたね。「ニーズに応えて利益をあげること」とは、こういうことなのです。
　もっとも、ここまでくる途中には、ほかにもいろいろな志向がありました。次ページから、少し整理してみましょう。

生産志向

まずは、「生産志向」。いちばん古くからある考え方です。消費者は手ごろな商品やサービスを求めていると考えて、低コストで大量生産をめざします。日本の戦後復興期などでも見られた志向です。

いまの日本の市場から見ると、何だか古くさい感じがしますが、開発途上国などの市場ではいまでも有効な考え方です。ちょっと前の中国市場など、まさにこの生産志向でしたね。

製品志向

生産志向に対して、いやいや、やっぱり良いものをつくらなきゃ、というのが「製品志向」。消費者は最高の品質や性能、これまでにない斬新な商品やサービスを求めていると考えます。

でも、「いいモンつくりゃ売れるんだよ」と構えていたのでは、まるで昔の職人さん。これだけ商品やサービスがあふれているいまの時代、少しは売ることも考えてくれなくちゃねー。

販売志向

次は、「販売志向」。何もしなければ消費者は買ってくれないぞ、こちらからガンガン売込みをかけて、販売促進もどんどんして、売るぞ！という志向です。日本の高度成長期がそうでしたね。

マーケティング志向

「マーケティング志向」は、製品でも販売でもなく、顧客のニーズから出発します。

商品やサービスを買ってくれる顧客を見つけるのではなく、顧客が求める商品やサービスを提供すると考えます。

これのむずかしいところは、先にマーケットがあること。製品開発は後でいいというのですから、全社的な理解が不可欠です。

ラウターボーンの4C

そもそも、マッカーシー氏が**4P**（☞P.22）を提唱したのは1960年代のこと。いささか古い感じがするのはやむを得ない面もあります。

そこで、アメリカの経済学者**ロバート・ラウターボーン**という人が、4Pに代わる「**4C**」を提唱しました。

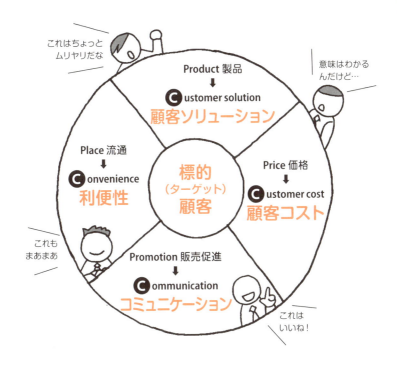

「**顧客ソリューション**」は顧客が抱える問題や課題をいかに解決するか、「**顧客コスト**」は顧客が支払う費用、「**利便性**」は顧客にとって**流通チャネル**（☞P.173）などが便利か、「**コミュニケーション**」はプロモーションやアフターサービスなど、企業と顧客の関係性をいいます。4Cは4Pよりもさらに顧客側の視点に立った考え方といえます。

マーケティング・ミックス

MM

　4Pや4Cは「マーケティング・ミックス（MM）」という用語でも呼ばれています。マーケティングの目標を達成するための、戦略ツールの組み合わせという意味。ですから、たとえば4Pを例にとると、どのPが欠けてもマーケティングにならないというのが基本です。

　しかし、戦略は相手によって変わるものです。マーケティング・ミックスも、対象とする顧客に応じて、変えなければなりません。

　マーケティング・ミックスは、それぞれがバラバラの要素ではありません。早い話、製品が変われば価格も変わるでしょう。それに応じて、流通もプロモーション（販促促進）も変わります。
　そこで、4つの要素を深く関連させながら、最大の効果をあげるように組み合わせるのがマーケティング・ミックスのポイントです。

アメリカ・マーケティング協会

ここで、マーケティングとは何かという、最初のテーマに戻ってみましょう。下図に掲げたのは、おそらく世界でいちばん権威のある「Marketing」の定義。アメリカ・マーケティング協会による定義です。

時代の変化に応じて、1940年の当初の定義から何度か改定されていますが、これは最新の2007年に改定されたものです。

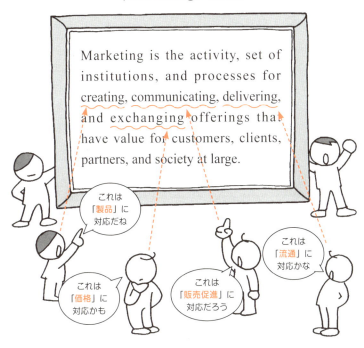

アメリカ・マーケティング協会による「Marketing」の定義

これを見ると、「製品」「価格」「流通」「販売促進」といったマーケティング・ミックスの要素が、それぞれに対応するような言葉で入っていて、今日でも重要視されていることがわかります。

ただ、言葉は変わってきていて、たとえば昔の定義では「価格設定（pricing）」といった直接的な表現が使われていましたが、今日ではもっと幅広い「交換（exchanging）」という言葉に変わっています。

ホリスティック・マーケティング

アメリカ・マーケティング協会によるマーケティングの定義の話を続けます。下図に掲げたのは筆者による拙（つたな）い翻訳です。ここで1つ、注目してほしいのは「提供物（offerings）」という表現。今日では、マーケティングは企業だけのものではなく、また企業にしても、提供する商品やサービスが多様になっていることを踏まえた表現です。

そしてもう1つ、「**パートナー、および社会全体にとって**」とあることにも注目してください。

今日のマーケティングは、顧客との関係だけでなく、**供給業者や流通業者といった取引先との関係、社会に対する責任**なども重視します。アメリカ・マーケティング協会の定義はそれを反映しているのです。

そこで近年、提唱されているのが「**ホリスティック・マーケティング**」です。ホリスティック（holistic）とは「全体的」「総合的」という意味で、さまざまなマーケティング活動やプロセスを融和させようというもの。いろいろな説明がありますが、わかりやすいのはコトラー先生（☞P.20）の次の説明でしょう。

　コトラー先生によると、ホリスティック・マーケティングは上図の4つを構成要素とします。
　これらのマーケティング活動を融和させたものが、ホリスティック・マーケティングです。

ニーズ

「ニーズに応える」とか「ニーズが高い」とか、ここまで説明なしに「**ニーズ**」という言葉を使ってきたので、このあたりでとり上げておきましょう。……とはいったものの、困りました。「ニーズ」は、たしかに重要なマーケティング用語なのですが、類語の「**ウォンツ**」とともに、いろいろな説明のしかたをされているのです。

「ニーズ」の説明のしかた① (コトラー先生の説明)

> **ニーズ**は、必要性を感じている状態。**ウォンツ**は、具体的なモノやサービスに向けられた欲求。**デマンズ**は、現実に特定のモノやサービスを購入できる需要

「ニーズ」の説明のしかた②

> **ニーズ**は、必要なものに対する欲求。**ウォンツ**は、特定のモノやサービスを選ばせるプラスアルファに対する欲求

②は少しわかりにくいかもしれませんが、必要性を感じたうえで、実際に特定のモノやサービスを選ばせるのは、必要性を超えたプラスアルファだという考え方です。

ウォンツ

そして、まるで違った「ウォンツ」という用語の使い方もあります。マーケティングの現場では、この意味でよく使われています。

「ニーズ」の説明のしかた③（マーケティングの現場でよく使われる）

> ニーズは、顕在化した欲求。ウォンツは、本人が気づいていない潜在的な欲求

シーズ

「ニーズ」とともによく出てくる用語に「シーズ」があります。「種」の意味で、独自の技術や企画力、素材などのことです。顧客の「ニーズ」から出発する「ニーズ志向」（☞ P.123）に対して、企業の「シーズ」から出発する「シーズ志向」（☞ P.123）などと使います。

もちろん、どこにでもあるような技術や素材ではダメです。ウチにしかないというものでないと、シーズ志向はうまくいきません。

市場

マーケット

「**市場（しじょう）**」あるいは「**マーケット**」も、マーケティングにおいて重要な用語です。「顧客のニーズ」というのと同様に、「市場のニーズ」という言い方もします。市場は、もともと売り手と買い手が集まる物理的な市場（いちば）のことですが、マーケティングで「市場」というときは、主に**買い手（顧客）がいる抽象的な空間**のことです。

また、もっと広く、商品やサービスで区切って、たとえば「パソコン市場」に対する「スマートフォン市場」のように、生産者から流通、消費者まで含めた**すべてがいる抽象的な空間**を指すこともあります。

また、商品やサービスでなく、年齢や性別といった**社会的要因で区切る**こともあります。

さらに、**需要や供給のこと**をいっていることもあります。

いずれにしてもポイントは、実際にいまいる買い手だけではなく、**潜在的な買い手＝顧客**も含めて、「市場」といっていることです。これは、マーケティングに特有の市場の見方といえます。

STP

セグメンテーション、ターゲティング、ポジショニング

市場は、通常とても広いので、すべての市場のニーズに応えることはできません。そこでまず、市場を細かく分けて見ます。そして、特定の市場にねらいを絞ります。さらに、その市場で他との違いを際立たせる立ち位置を決めます。それぞれ、**セグメンテーション、ターゲティング、ポジショニング**といい、略してＳＴＰと呼ぶ手法です。

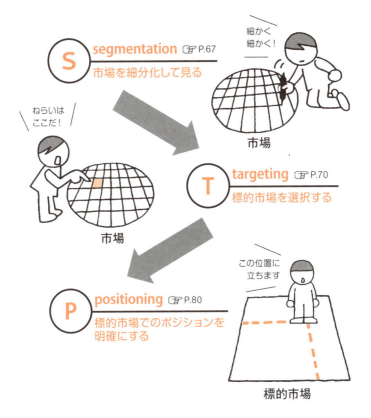

ＳＴＰは、コトラー先生（☞P.20）が提唱した代表的なマーケティング手法の1つです。この手法を使うと、効果的に市場を開拓することができます。具体的な方法はおいおい説明していきますので、まずはＳＴＰという用語を覚えておいてください。

ブランド

　ポジションを明確にする——**ポジショニング**（☞ P.80）で、大きな力を発揮するのが「**ブランド**」です。ただし、高級ブランドにするわけではありません。安売りで有名なスーパーでも、ひと袋100円の1つの商品でも、他の商品と識別されることがブランドです。

　ブランドが確立すると、顧客の頭の中にはそのブランドのポジションが明確に記憶されます。

　そのポジションに顧客が満足すると、しまいにはブランドに対する忠誠心のようなものまで生まれるのです。

　これは「**ブランド・ロイヤルティ**」と呼ばれる心理です（☞ P.76）。こうなると顧客は、他に商品があってもそのブランドを購入し続けてくれます。売り手にとっては、何もしないでも売れ続けるわけですから、ブランドはとてもありがたいものなのです。

顧客価値

カスタマー・バリュー

　顧客が商品やサービスに求める価値を「**顧客価値（カスタマー・バリュー）**」といいます。顧客価値は大事です。商品やサービスが、顧客が期待した価値以上であれば、「**顧客満足**」（☞ P.46）となるからです。

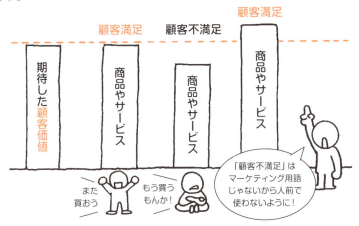

　「**顧客価値の3本柱**」と呼ばれるものがあります。「**品質**（Quality）」「**サービス**（Service）」「**価格**（Price）」の3本の柱で、頭文字をとって「**QSP**」ともいいます。ほかにもデザインや使い勝手など重要な要素はありますが、この3本柱が顧客価値の基本です。もっとも、この柱、高ければいいわけじゃないのが難点ですが……。

マーケティング・マネジメント・プロセス

MMP

　それでは、この章のまとめに、**マーケティングの手順**をご紹介しましょう。右ページの図が「**マーケティング・マネジメント・プロセス（MMP）**」と呼ばれる、5つのステップです。

　最初におこなうのは「**マーケティング・リサーチ**」（☞ P.120）と呼ばれる、さまざまな市場調査や分析です。

　そして最後には、実施した結果の評価と、全体の見直しをおこないます。このプロセスは **PDCA サイクル**（☞ P.122）と同じく、結果を始まりにフィードバックします。

　かくしてまた、次のマーケティング・マネジメント・プロセスが始まります。マーケティングに終わりはないのです。

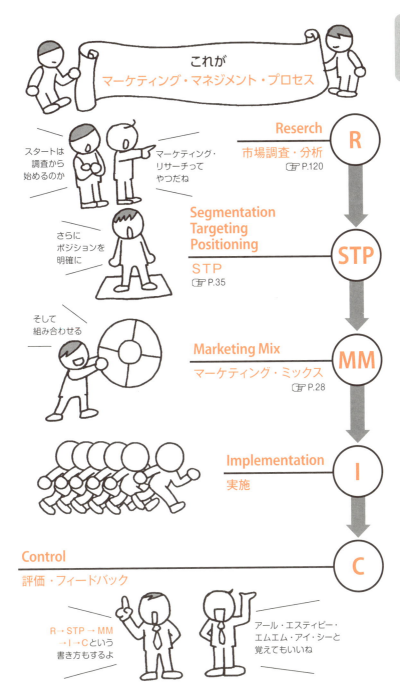

インターナル・マーケティング

　コトラー先生によるホリスティック・マーケティング(☞P.30)の構成要素の1つ。組織内に対するマーケティング。マーケティング部門だけでなく、組織内の全員がマーケティング志向（☞P.26）となるよう、教育訓練や動機付けをする。

社会的責任マーケティング

　コトラー先生によるホリスティック・マーケティングの構成要素の1つ。著書『社会的責任のマーケティング』の副題は『「事業の成功」と「CSR」を両立する』となっている（CSR☞P.278）。

リレーションシップ・マーケティング

　顧客との良好な関係を長期的、継続的に維持して、顧客のロイヤルティを獲得する手法。コトラー先生によるホリスティック・マーケティングの構成要素の1つとしては、顧客のみならず、供給業者、流通業者、その他の関係者とも長期的に良好な関係を築く。

エコ・マーケティング

　「グリーン・マーケティング」ともいう。環境に配慮した商品やサービスを提供するマーケティング手法。環境意識の高まりにより、環境に配慮した商品やサービスのニーズは大きくなっている。その一方で、エコな商品は割高になりやすく、消費者の低価格志向とは相容れない部分がある。

市場と顧客の用語

セオドア・レビット
（1925～2006年）

ベネフィット

便益、便益価値

　顧客は、何を求めて商品やサービスを買いにくるのでしょうか。これについて、マーケティングの世界に有名な格言があります。
「ドリルを買いにきた人が欲しいのは、ドリルではなく『穴』」。
レビット教授が1968年に『マーケティング発想法』という著書の中で紹介して、すっかり有名になり、今日に伝えられている格言です。

　つまり、顧客はドリルが欲しいように見えて、実は、ドリルによって穴があくという、効果のようなものを求めているということです。
　このように、商品やサービスに求められる**価値・効果・効用**などのことを、マーケティング用語で「**ベネフィット**」といいます。日本語にあてられている訳語は「**便益**（べんえき）」とか「**便益価値**」です。

who's who

セオドア・レビット（1925～2006年）
フィリップ・コトラーと並び2大巨頭といわれるアメリカのマーケティング学者。著書・論文に『マーケティング近視眼』『マーケティング発想法』など多数。

売り手は、単に商品やサービスを売っていると考えてはいけません。**ベネフィット自体は形のないもの**ですから、売り手はそれを商品やサービスとして提案し、提供することで**形を与えている**のです。

なお、レビット教授が実際に著書の中で紹介したのは、別の人が教授に語った次のような言葉です。

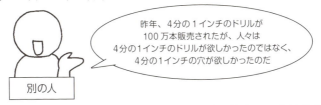

ちなみに、レビット教授はまた、ドリルの話に続けて、化粧品会社レブロン社長の次のような言葉も紹介しています。ベネフィットを女性に説明するときは、こちらのほうが夢があっていいかも。

近視眼的マーケティング

顧客の求めるものが**ベネフィット**であることを忘れると、たいへんなことになります。レビット教授が著書の中であげているのは、たとえばアメリカの鉄道会社。鉄道輸送にこだわったばかりに、自動車や飛行機の大衆化時代に乗り遅れて、会社は衰退しました。

こうしたカン違いを、論文『マーケティング近視眼』の中では「**近視眼的マーケティング**」と呼んでいます。

顧客知覚価値

　ベネフィットという用語を使うと、いろいろなことがスッキリ理解できます。たとえば「顧客価値」（☞P.37）。顧客が、その商品やサービスに期待する品質やサービス、価格その他すべてのベネフィットを総合すると、「総顧客価値」というものが考えられます。

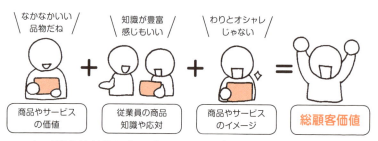

　一方、顧客が商品やサービスにかかるすべてのコスト——心理的なものまで含めて見積もったとすると、「総顧客コスト」が出てきます。

　総顧客価値から総顧客コストを引くと、顧客が商品やサービスに感じている価値——顧客の「知覚価値（CPV）」がわかります。

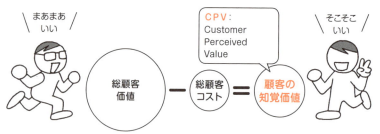

　この顧客知覚価値を使って、商品やサービスの顧客価値を高める、より価値が高いと思ってもらえる方法を考えてみましょう。

第1の方法は、計算式の左側、**総顧客価値を大きくする**ことです。まずは、品質やサービスなどのベネフィットを高めます。

もっとも、これらはもともとがんばっているでしょうし、商品のイメージなどはすぐには変えられないかもしれません。しかし、従業員の商品知識や応対などは、改善してベネフィットを高くできるかも。

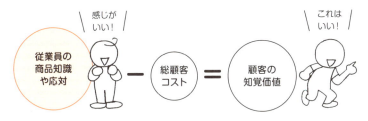

第2の方法は、計算式の右側、**総顧客コストを下げる**ことです。まずは金銭的コスト＝価格を下げます。

しかし、商品やサービスの価格を下げるのは簡単ではありません。そこで、顧客が面倒くさいと思わせないように、**かかる時間と手間のコストを下げる**ことを考えてみてはどうでしょうか。

知覚価値の考え方は価格設定などにも利用されます（☞P.160）。

顧客満足

CS

「顧客満足（CS）」も、知覚価値というものを考えると簡単に理解できます。要するに、顧客が商品やサービスの購入前に抱いていた知覚価値の期待に対して、実際はどうだったか、顧客自身が比べた評価ということです。期待どおりかそれ以上なら顧客満足、となります。

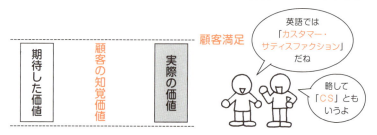

ただし、マーケティング上は注意が必要です。たとえば、とても魅力的な広告をうって知覚価値の期待値を上げたらどうなるでしょう？

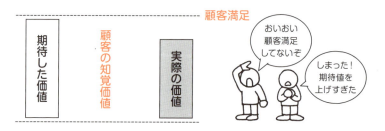

短期的な売上げは伸びるでしょうが、顧客満足の度合いは下がります。かといって、そこそこの広告では売上げもそこそこ……。このジレンマから抜け出すには、前ページのいろいろな方法で実際の知覚価値を上げるしかありません。そうすれば「顧客満足」となるでしょう。

顧客生涯価値

LTV、または CLV (Customer Lifetime Value)

　同じ「顧客の価値」という用語でも、「顧客生涯価値（LTV）」は売り手の側から見た顧客の価値、すなわち顧客が売り手にもたらしてくれる利益——それも一生涯分の利益のことです。いくつかの計算方法がありますが、簡単なのは次の計算式です。

　顧客を獲得するのにもコストがかかっているはずですから、それを差し引けば、利益が出ます。こうして、顧客獲得にかけていいコストの額や、それに必要な取引額を計算します。

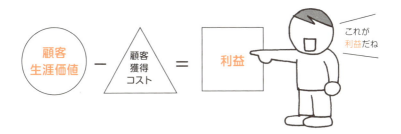

　顧客生涯価値を計算すると、新規顧客を獲得するよりも、現在の顧客を継続して維持したほうが利益が多い、という結果になることが多いものです。

カスタマー・エクイティ

「エクイティ」は、純資産といった意味ですから、直訳すると「顧客資産」。顧客は売り手にとって資産だ、という考え方です。

実はこの**カスタマー・エクイティ**、前ページの**顧客生涯価値の総合計**のことです。ですから、1回の購買金額を増やしたり、年間の購買回数を増やして、ひとり当たりの年間取引額を増やすなどの方法で、カスタマー・エクイティを増やすことができます。

顧客ロイヤルティ

もう1つ、カスタマー・エクイティを増やす方法があります。それは前ページの計算式からもわかるように、**取引継続年数を増やす**ことです。つまり、いつまでも顧客であり続けてもらい、商品やサービスを購入し続けてもらうのです。

まるで商品やサービスに忠誠を誓ったかのように購入し続けてもらうので、このような顧客の心理を「**顧客ロイヤルティ**」といいます。

CRM

よりたくさんの商品やサービスを、より長く購入し続けてもらうために活用される手法が「**カスタマー・リレーションシップ・マネジメント（CRM）**」。日本語では「顧客関係管理」です。

顧客データベースをつくって、顧客の情報や購買履歴などを記録・管理し、顧客と長期的な関係を築くことをめざします。

考え方としては昔からあったのですが、ITの進歩で実現しました。

リテンション・マーケティング

総じて現在では新規顧客の獲得以上に、既存顧客の定着・維持が重視されるようになっています。それが「**リテンション・マーケティング**」。「リテンション」には維持、保持といった意味があります。

さまざまな施策で、既存の顧客と継続的な関係を維持していくほうが、LTV（顧客生涯価値）で考えれば利益が大きい、というのがリテンション・マーケティングの考え方です。

購買行動

　顧客は、どのようにして商品やサービスの購入に至っているのでしょうか。顧客が、消費者として商品やサービスを購入する際に示す行動を「**購買行動**」といいます。購買行動については、何に影響を受けているかという「**要因**」、「**購買動機**」、それに「**購買行動プロセス**」と呼ばれる、購入に至るまでの過程などが重要です。

　まず、購買行動に影響を与える「**要因**」について見てみましょう。大きく分けて、3つの要因があります。

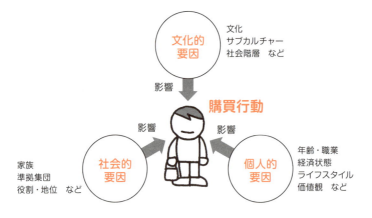

「**文化的要因**」とは、**文化**そのものと、**サブカルチャー**。この場合のサブカルチャーとは、文化を構成する小さな文化のことです。そして、上流や中流といった**社会階層**も文化的要因になります。

「**社会的要因**」の中では、**家族**が最も重要です。子どものころは親の影響、大人になるとパートナーや子どもの影響を受けますからね。準拠集団については次ページに譲るとして、**社会的な役割や地位**、たとえば公務員とか社長とかが購入するものに影響するのも当然です。

「**個人的要因**」とは、**個々人の特性**のこと。**年齢・職業、経済状態**といったわかりやすいものから、**ライフスタイル**、**価値観**といった一見わかりにくいものまで含まれます。

準拠集団

　購買行動に影響を与える**社会的要因**の1つに、「**準拠集団**」があります。これは、消費者の行動に直接的・間接的に影響を与える、いくつかの集団のことです。

　家族や親しい友人など、私的な付き合いの範囲を「**第1次準拠集団**」、地域の自治会や会社など、公的で、それほど深くない関係の集団を「**第2次準拠集団**」といいます。

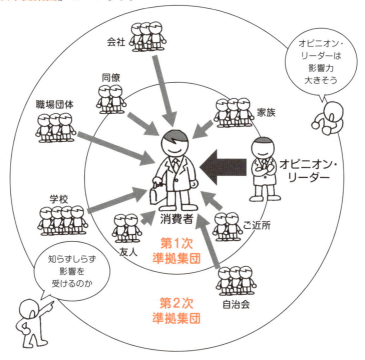

　準拠集団は、日常の会話などを通じて消費者個人に商品やサービスの情報、ライフスタイルなどを伝え、価値観を変えたりします。また消費者のほうが、商品やサービスの購入にあたって、知らずしらずのうちに準拠集団と同じ選択をしてしまう一面もあるのです。

　いずれにしても、消費者の購買行動に与える影響は大きなものがあります。

オピニオン・リーダー

　準拠集団の中には、「**オピニオン・リーダー**」がいることが多いものです。オピニオン・リーダーは、ある分野の情報に詳しく、購入に際してアドバイスをくれたりします。カリスマ・ブロガーなどがそう。

　マーケティングでは、オピニオン・リーダーは重要です。オピニオン・リーダーに向けて広告や**PR**（☞ P.204）などの情報提供をおこなえば、準拠集団に属する消費者へ効率的に情報を伝えられます。

ライフサイクル

　個人的要因の1つとして、マーケティングでは「**ライフサイクル**」というものを考えます。年齢によって、買うものは変わりますからね。

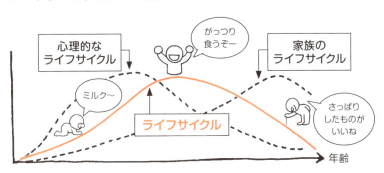

　ただし、同じ年齢でも、小さな子どもを抱えた人と、成人した子どもをもつ人では、購入するものが変わるでしょう（家族のライフサイクル）。また、気持ちの若い人、ふけた人でも違います（心理的なライフサイクル）。これらも購買行動に影響するわけです。

マズローの法則

　購買行動の中の「購買動機」については、基本的な動機と、その先にある具体的な選択に関わる動機がありますが、ここでは基本的な動機のほうを説明しましょう。

　人間の動機に関する有名な学説の1つが、「マズローの法則」。これによると、人間の欲求はより基本的なものから、より次元の高いものへと、**ピラミッドのように5段階、積み重なっている**そうです。

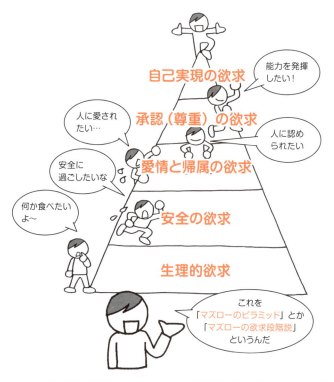

　この欲求段階説は、アメリカの心理学者**アブラハム・マズロー**氏が提唱したものです。

　下の段ほど基本的な欲求で、上の段にいくほど、より高い次元の欲求という構造になっています。そして、**ある欲求が満たされると、次の段階の欲求を満たそうとする**ことが、動機となります。

欲求段階説

マズローが書いた原文では「needs」ですが、ここでは「欲求」という用語を使います。マズローの説では、下位の欲求が満たされると、それが動機となって上位の欲求が起こります。逆にいうと、たとえば「安全の欲求」が満たされなければ「自己実現の欲求」は生じません。

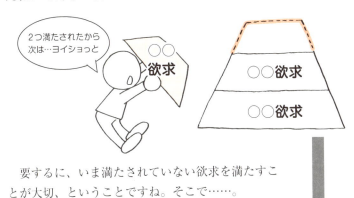

要するに、いま満たされていない欲求を満たすことが大切、ということですね。そこで……。

生理的欲求

欲求の第1段階は「**生理的欲求**」です。これは飲食や睡眠など、生きていくのに必要なことを満たすための、最も基本的な欲求です。本能的といっていいかもしれません。

この欲求を満たす商品は、飲食物や寝具などですが、モノがあふれている日本では、それらに生理的欲求以上のおいしさや寝心地などが求められます。この欲求が満たされていると……（次ページに続く）

安全の欲求

欲求の第2段階は「**安全の欲求**」です。危険を避けたい、安全・安心に過ごしたいという欲求がわき起こります。自分の身体・生命の安全はもちろん、家族や財産の安全なども欲しいですよね。

精神的な安全、つまり経済的な安定とか将来に対する安心も、安全の欲求に含まれます。保険などは、そうした欲求に応える商品ともいえます。そこで、この欲求が満たされると……。

愛情と帰属の欲求

欲求の第3段階は「**愛情と帰属の欲求**」です。ここで初めて社会的な欲求がわき起こります。どこかに所属して社会に自分の居場所をもちたい、孤独でいるのはいやだ、誰かに愛されたい、という欲求です。

ユニフォームや制服などは、帰属の欲求をくすぐる商品といえます。そこで、この欲求が満たされると……。

承認(尊重)の欲求

欲求の第4段階は「**承認(尊重)の欲求**」です。

集団に所属するだけではなく、その集団の中で認められたい、尊敬されたい、という欲求がめばえます。

初めは人に認められることを目標にしますが、やがて自分で自分を認められることのほうが大切だと気づきます。そこで、この欲求が満たされると……。

自己実現の欲求

欲求の第5段階は「**自己実現の欲求**」です。

自分の能力を最大限に発揮したい、可能性を実現したい、自分がなりたい人間になりたい、という欲求があらわれます。

ちなみに、晩年のマズローは「自己実現の欲求」段階の上に、さらに「自己超越」の段階があると提唱したそうです。

AIDMAの法則

　消費者が、商品やサービスの存在を認め、最終的に購買にいたるまでの過程を段階的にあらわしたものを、「**購買行動プロセス**」とか「**購買決定プロセス**」といいます。最も有名なのが「**AIDMA（アイドマ）の法則**」。アメリカの**ローランド・ホール**氏が提唱しました。

　消費者は、まず商品やサービスに目をとめ（**注目**）、興味をもちます（**関心**）。それから欲しいと思い（**欲求**）、商品やブランドを覚えます（**記憶**）。そしてついには、購入に至る（**行動**）のです。

AIDAの法則

　アメリカではAIDMAよりも「**AIDA（アイダ、アイーダ）の法則**」がよく使われるそうです。アメリカの心理学者**エドワード・ストロング**氏が、セールスの際の顧客心理の段階をまとめたものです。

　セールスにあたっては、まず顧客の注意を引き（**注目**）、次に商品の説明をして興味をもってもらいます（**関心**）。そして、商品を欲しいと思うように誘導し（**欲求**）、購入してもらう（**行動**）のです。

AISASの法則

AIDMA、AIDAに対して、インターネットでの購買行動を示したのが「AISAS（アイサス、エーサス）の法則」です。日本の広告代理店、電通などが提唱し、電通の登録商標になっています。

注目、関心までは同じですが、ネットユーザーは興味をもったらすぐにググります（検索）。気にいったら、ネットで即、注文・決済（行動）。後はSNSなどで商品の評価などをシェアします（共有）。

AIDCAの法則

一方、ダイレクトメールなどのダイレクト・マーケティング（☞P.208）における購買行動をあらわすのが「AIDCA（アイドカ、アイダカ）の法則」。AIDMAの「記憶」が「確信」になっています。

ダイレクト・マーケティングは、広告などよりも詳細な情報を伝えることができ、反応が「注文」の形で返ってくる特徴があります。商品が良いという「確信」をもって購入に踏み切ってもらえるのです。

カスタマー・ジャーニー・マップ

　購買行動プロセスは、旅にたとえられます。顧客は商品やサービスを知ってから、さまざまな道のりをたどり、いろいろ考え、感じ、それぞれの行動をとって、ようやく購買（購入）に至るのです。これを顧客の旅＝「カスタマー・ジャーニー」といいます。
　カスタマー・ジャーニーは「**カスタマー・ジャーニー・マップ**」という図表を描いてあらわすのが一般的です。

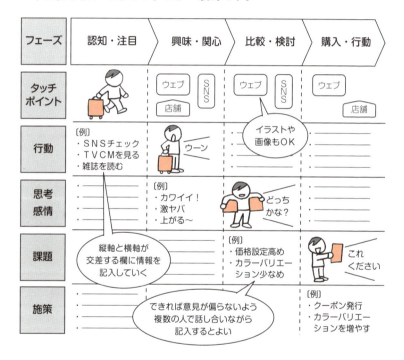

　横軸には認知から購買（購入）に至るフェーズを、縦軸にはタッチポイント（顧客との接点）や行動といった要素をとりますが、具体的には商品やサービスによって変わります。上図は、ごくシンプルな例です。
　このマップを描いて、カスタマー・ジャーニーがわかると、顧客の行動が理解できるようになります。なぜその商品やサービスに注目したのか、なぜ購買に至らなかったのか、といったことです。

ペルソナ

　カスタマー・ジャーニー・マップを描くには、「ペルソナ」を設定します。ペルソナとは、自社の顧客のモデル像のことです。
　ただし、単純、簡単なモデル像ではありません。実在の人物であるかのように、細かく設定することが大切です。

●性別・年齢・居住地など　●職業・役職・業務内容・最終学歴など　●年収・世帯年収・貯蓄性向など　●配偶者または恋人、子ども、両親の有無など　●親しい友人、職場の同僚、近所の付き合いなど　●平日の過ごし方、休日の過ごし方など　●人生経験・現在の悩み・将来の展望など　●ものの考え方・こだわり・ライフスタイルなど　●仕事帰りや休日にしている趣味など　●インターネット利用状況・利用デバイスやスマホの接続環境・スなど

ファネル

　認知から興味、比較と購買行動プロセスが進むにつれ、消費者の数は減っていくものです。これを図示したものが「ファネル」、日本語でいうジョウゴのことです。しかし、購入で終わりにしてはいけません。

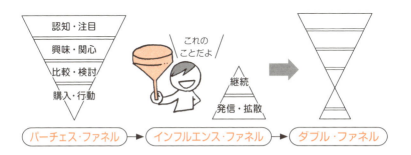

　上の図中央のように、リピーターになってもらうこと（継続）、さらにインフルエンサー（☞P.267）として、SNSなどで情報を発信・拡散してもらいましょう。これが「ダブルファネル」です。

マス・マーケティング

　ここまで見てきたように、多様な消費者が、多彩な購買行動を見せるのが、市場＝マーケットです。以前は、マーケティングといえば、この市場全体に対して、1つの商品やサービスを、大量生産・大量販売し、大々的なプロモーションを展開するのが主流でした。こうしたマーケティングを「マス・マーケティング」といいます。

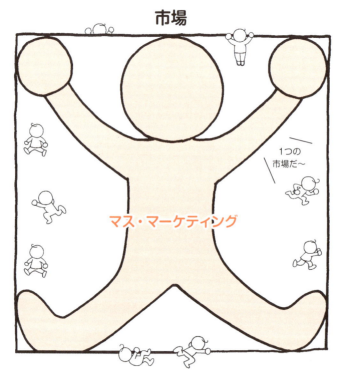

　マス・マーケティングでは、最大の市場を開拓することができ、それによってコストは最小限に抑えられ、低価格で商品やサービスを提供できるうえに、売り手は大きな利益をあげることができるという、良いことづくしのメリットがあります。
　しかし、いつまでも大量生産・大量販売の時代が続くわけでもありません。

ミクロ・マーケティング

　消費者が多様化し、購買行動も複雑になっている現代では、マス・マーケティングで成功することはむずかしくなっています。マス・マーケティングに対する、「ミクロ・マーケティング」が求められているのです。

　ミクロ・マーケティングでは、市場を1つのものとして見ず、細分化＝セグメンテーションをして見るということをします。

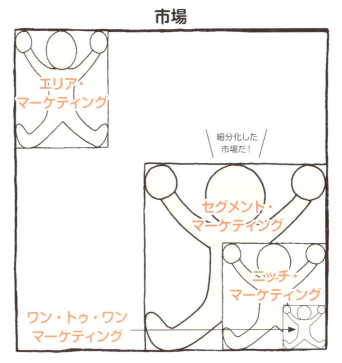

　STP＝セグメンテーション・ターゲティング・ポジショニング（☞P.35）の手法を提唱した、コトラー先生（☞P.20）によれば、ミクロ・マーケティングには上図のように4つのレベルがあります。

　いずれも、マス・マーケティングが対象にした、1つの市場をセグメンテーションするものです。次ページから、これらを順番に見ていきましょう。

セグメント・マーケティング

　まずは、市場を細かく「セグメント(分類)」にして見ます。これを「セグメント・マーケティング」といいます。ただし、たとえばクルマの市場で、ただ「若者層」ではセグメントになりません。クルマを必要とする若い人の中でも、クルマに何を求めるかが違うからです。
　同じようなニーズ（☞P.32）とウォンツ（☞P.33）をもつ消費者を、セグメントとしなければなりません。

「若者層のクルマ」市場

　セグメント・マーケティングでは、こうした適切なセグメントに細分化し、どのセグメントをターゲットとするか（☞P.70）、的確な判断をすることが重要になります。
　ただ市場を細かく分類して、そのうちの1つを適当に選ぶというのでは、セグメント・マーケティングとはいえません。

ニッチ・マーケティング

ニッチは「隙間」という意味。「ニッチ・マーケティング」は、セグメントよりもっと狭い、隙間のような市場を狙うマーケティングです。セグメントをさらに細分化して、「サブセグメント」に分けます。

ニッチは、1社か2社しか参入しない（できない）、ごく小さな市場です。その代わり、この市場の消費者はニーズを満たしてくれる商品やサービスに対して、より高いプレミアム価格を支払ってくれます。

エリア・マーケティング

「エリア・マーケティング」は、地域のニーズに特化するものです。できるだけ地域の個々の顧客に近づき、顧客に合わせたマーケティングをめざします。

エリア・マーケティングをめざす場合は、全国規模の広告などが不要で、コストの節減が可能です。その一方で、比較的少量生産になるので、製造コストや流通の問題がネックになる可能性もあります。

ワン・トゥ・ワン・マーケティング

　細分化を突き進めると、ついには「個人」に行き着きます。消費者一人ひとりのニーズに合わせて、別個にマーケティングをおこなっていくのが「ワン・トゥ・ワン・マーケティング」です。

　１対１の関係（のように顧客側から見える）を、多数の顧客との間で築くものです。たとえば、顧客に合わせてカスタマイズしたウェブ・ページを表示するなどの手法があります。

カスタマリゼーション

　「顧客志向化」と訳される「カスタマリゼーション」。消費者一人ひとりが自分で商品やサービスの一部、または全部を変更できる生産システムです。ＩＴの活用により、低コストでできるようになりました。

　クルマのような複雑な製品でも、一部を消費者が自分で選択してデザインできるサービスが始まっています。

セグメンテーション

マーケット・セグメンテーション、市場細分化

どのレベルで細分化するか決まったら、具体的に対象とする市場を細分化（**セグメンテーション**）する段階に入ります。

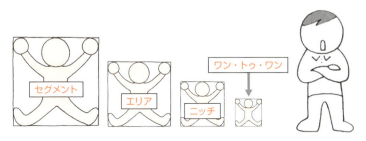

具体的な細分化には、いろいろな条件が考えられますが、大きく分けて下の4つの要素があります。

このうち「**地理**」は、人口や気候なども含む要素です。また「**行動**」は、**購買行動**（☞ P.50）に限らず、幅広く消費者行動全般を細分化の条件にします。

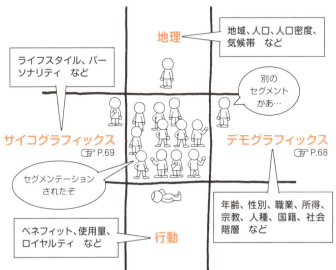

ここまでが「**セグメンテーション**」とか「**マーケット・セグメンテーション**」「**市場細分化**」と呼ばれるＳＴＰ（☞ P.35）の第1段階です。

デモグラフィックス

セグメンテーションなどに用いるデータには、数字や分類であらわせるものと、あらわせないものがあります。あらわせるもので代表的なのが「**デモグラフィックス**」で「人口統計学」といった意味です。

年齢、性別、職業、所得、未婚・既婚の別、世帯の人数、家族のライフサイクル、教育水準、宗教、人種、国籍、社会階層　など

これが主な
デモグラフィック
特性

こうした要素は「**デモグラフィック特性**」と呼ばれています。デモグラフィック特性はデータとして扱いやすいので、マーケティングではよく利用されます。

ライフステージ

デモグラフィック特性は扱いやすいですが、注意が必要なこともあります。たとえば、**ライフサイクル**（☞P.53）上で同じ人でも、就職、結婚、出産、退職などの時期は違うことがあります。

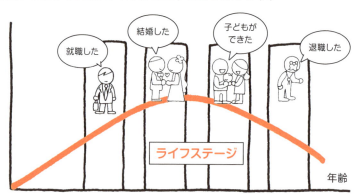

ほかにも、離婚、再婚、子どもの就職、親の介護など、人生のイベントは無数にあるでしょう。これらを「**ライフステージ**」といいます。ライフステージによって、購買行動なども違ってくるわけです。

サイコグラフィックス

数字や分類でうまくあらわせないのが「サイコグラフィックス」で、「心理学的」といった意味です。下図のように、ライフスタイル、パーソナリティなどと聞くと、どう分類していいかわかりませんね。

ライフスタイル、パーソナリティ（個性）、価値観、好み、信念、購買動機　など

これが主なサイコグラフィック特性

デモグラフィック特性が同じでも、違う購買行動をとる人は少なくありません。逆にデモグラフィック特性が違うのに、同じ購買行動になる人もいます。すべて「サイコグラフィック特性」が原因です。

ライフスタイル

サイコグラフィック特性の代表格といえば「ライフスタイル」でしょう。もともとは社会学のテーマでしたが、今日ではマーケティングの分野でもよく使われます。

消費者を、ライフスタイルの面からいくつかのグループに分け、それぞれにふさわしいマーケティングを探る「ライフスタイル分析」の調査手法も開発され、マーケティングの重要なツールになっています。

ターゲティング

　セグメンテーションができたら、どのセグメントが有利か評価し、標的（ターゲット）を絞ります。これがＳＴＰ（☞P.35）の「Ｔ」の段階、「**ターゲティング**」です。

　ターゲットを絞る際には、2つの要素に注意します。1つは、セグメントがもつ**魅力**。もう1つは、売り手側の**経営目的**と**経営資源**（ヒト、モノ、カネなど）です。企業の経営目的に合わないと、そのセグメントには進出できません。また、企業がもつ経営資源が足りなくて、進出できないこともあります。

- セグメントがもつ**魅力**で絞る
  - セグメントの規模や、成長性、収益性、経済性、リスクなどが魅力的か
- 売り手側の**経営目的**と**経営資源**で絞る
  - そのセグメントへの進出が経営目的に合っているか、経営資源は充分か

　こうして選択したセグメントを「**標的市場**」とか「**標的顧客**」と呼びます。標的市場の選択には以下の5つのパターンがあります。

単一セグメント集中

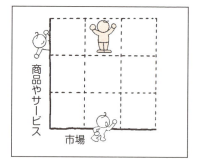

　まず、1つのセグメントに集中して、1つの商品やサービスを投入するパターンがあります。小さな企業でも大企業と渡り合える「**集中の戦略**」です（☞P.113）。

　ただし、そのセグメントに大きな変化があると全滅の可能性もあります。

選択的専門化

　経営資源に余裕があるなら、複数のセグメントを選択するのが無難です。魅力的なセグメントなら相互の関連がなくてもかまいません。それぞれのセグメントで収益があがればいいのです。この戦略には、リスクを分散できるメリットがあります。

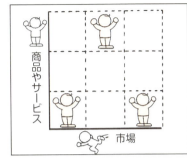

製品専門化

　投入する商品やサービスが強力なものなら、それに関連するいくつかのセグメントを狙うパターンも選択できます。ただし、関連する市場なので、他社が画期的な商品やサービスを投入するようなことがあると大きなダメージを受けるリスクがあります。

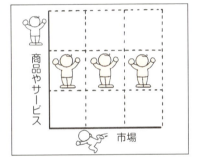

市場専門化

　製品専門化とは逆に、市場のほうに強みをもっている場合は、関連する複数の商品やサービスを投入するパターンが選択できます。たとえば、いくつかのセグメントにもともと強力な販売網をもっている場合です。ただし、市場自体が縮小するリスクはあります。

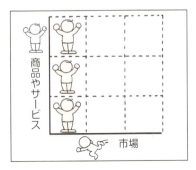

フルカバレッジ

　そして、すべてのセグメントに、数多くの商品やサービスを投入するのが、市場の「フルカバレッジ」パターン。一般の企業では、なかなか選択できません。経営資源の豊かな、大企業だけが選択できる「**強者の戦略**」（☞P.116）です。

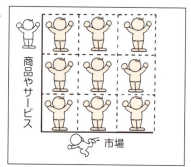

ES
　「Employee Satisfaction」の略。日本語では「従業員満足」。業務内容、職場環境、人間関係などが影響する。マーケティングの立場からは顧客満足（☞P.46）の向上のために、従業員満足の向上が必要とされる。

AIDAS の法則
　「アイダスの法則」と読む。購買行動プロセス（☞P.58）の1つ。Attention（注目）、Interest（関心）、Desire（欲求）、Action（行動）までは AIDA の法則（☞P.58）と同様だが、そのあとアフターフォローで Satisfaction（満足）を感じさせ、リピーターになってもらうという点が異なる。

パーソナライズ
　個々人の興味や関心、行動に合わせてサービスを変える手法のこと。ワン・トゥ・ワン・マーケティング（☞P.66）やインバウンド・マーケティング（☞P.225）では必須といえる。ウェブ・ページやメール・マガジンを、ユーザーの属性や行動履歴によって変えることは実際におこなわれている。

Chapter 3

ブランド戦略
の用語

マイケル・ポーター
(1947年～)

ブランド・アイデンティティ

「**ブランド**」とは、いったい何でしょうか。**アメリカ・マーケティング協会**（☞P.29）の定義では「商品やサービスを識別させ、競合他社の商品やサービスと差別化するための名称、言葉、シンボル、デザイン、あるいはそれらの組み合わせ」（一部抜粋）とありますが、これはブランドの要素。それらで識別されているものが「ブランド」です。

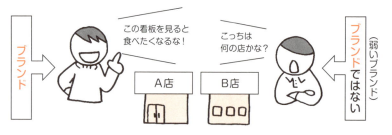

つまり、消費者や顧客によってその商品やサービスが他と識別されているとき、その商品やサービスは「ブランド」になっています。

では、消費者や顧客はどんな点で識別しているのか――言い換えると、売り手は消費者や顧客に、どこが違うと思ってほしいのか、それを「**ブランド・アイデンティティ**」といいます。

要するにブランド・アイデンティティとは、売り手の企業や、商品・サービスの「個性」といえるものです。ブランド・アイデンティティの考え方を提唱した**デイビッド・アーカー**先生によれば、ブランド・アイデンティティは**4つの視点**から構成されています。

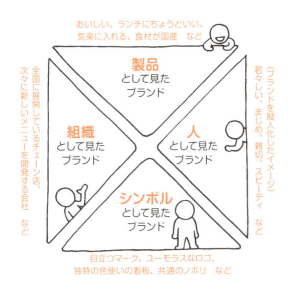

　上図のように、4つの視点から見た個性が、消費者や顧客から見たブランド・アイデンティティとなるわけです。

ブランド・イメージ

　ブランドや関連するさまざまな要因から、消費者や顧客の頭の中に一定のイメージがつくられます。これが「**ブランド・イメージ**」です。

who's who

デイビッド・アーカー（1936年〜）

アメリカの経営学者、コンサルタント。ブランド戦略の第一人者。著書に『ブランド・エクイティ戦略』『ブランド優位の戦略』など多数。

ブランディング

売り手としては、自分たちが思い描くブランド・イメージを、消費者や顧客も抱いてくれるように、戦略的に働きかけなければなりません。これを「ブランディング」といいます。

ブランディングがうまくいくと、ブランドとして認知されていなかった商品やサービスも、ロゴやマーク、キャッチコピーやデザインなど、あらゆる要素と結びついた「ブランド」になるのです。

ブランド・ロイヤルティ

ブランディングによって、商品やサービスにブランドの力が与えられます。ブランドの力とは何か——たとえば「ブランド・ロイヤルティ」と呼ばれる顧客の心理です。

ブランド・ロイヤルティの高い顧客は、何もしないでも買ってくれるリピーターですから、売り手にとっては大事な財産です。

ブランド・エクイティ

　ブランド・ロイヤルティの高い顧客など、ブランドがもつ力には企業の資産としての価値があります。これを「ブランド・エクイティ」といいます。ブランド・エクイティは、4つの要素で構成されるものです。ブランド・ロイヤルティもその1つですが、まずは「ブランド認知」。ブランドが正しく認識されている、ということです。

　次は「知覚品質」。他と比較してバツグンに品質が良いと、顧客に思ってもらえることです。

　3つめに「ブランド・ロイヤルティ」が入り、最後の4つめは「ブランド連想」。ブランドのイメージが、他の商品やサービスにまで広がっていることです。

　このように、ブランドには企業の経営資源——ヒト・モノ・カネと同様の価値があるというのが、ブランド・エクイティの考え方です。

ブランド階層

　ブランドには、企業全体のブランドから1つの品まで、「階層」があります。「**ブランド階層**」にはいろいろな見方がありますが、ここでは5階層に分ける見方を紹介します。

　まず、企業名がブランドになっているのが「**コーポレート（企業）・ブランド**」。「Google」などがこれにあたります。

　次に、同じ企業内でも、事業単位をブランドにすることがあります。たとえば、太陽エンタープライズという企業の「ミスタードーナツ」「牛角」などが「**事業ブランド**」です。

　「**ファミリー・ブランド**」は、いくつかの製品カテゴリーにまたがって、1つのブランドを使うもの。セブンイレブンの「金の〇〇シリーズ」などがそうです。

　中心となる製品から派生したバリエーションを、1つのブランドでまとめたのが「**製品群ブランド**」。日清食品の「カップヌードル」から派生した「カレー」「シーフード」などがいい例です。

　そして、製品1つに、ブランド1つの「**製品ブランド**」。大塚製薬の「オロナミンCドリンク」などの例があります。

ブランド戦略

　ブランドには階層があるので、「ブランド戦略」も一様にはなりません。どの階層のブランドを使うか──一般的に良く使われる戦略は4つあります。

①個別の製品ブランドにする

→製品の評価が企業名と直結しないのがメリット。つまり、製品が失敗したり、安売りをしても、企業の評価に結びつかない。また別の製品で、やり直すことができる

②1つの事業・ファミリー・製品群ブランドにする

→いちいち新しいブランド名をつけないですむので、ブランド名をつけるための調査費、認知させるための広告費などが安くすむ。良いブランド・イメージがつけば、次の新製品も売れる

③いくつかの事業・ファミリー・製品群ブランドにする

→1つの企業が、まったく違う製品をつくっているときに便利。たとえば、ドーナツと焼肉と居酒屋を運営していても、別の事業ブランドにしておけば大丈夫

④コーポレート・ブランドと組み合わせる

→コーポレート・ブランドに良いイメージがあるときは、そのイメージが利用できる。企業名の後につける製品名は一般名詞でOK。いちいち製品名を考える必要もない

ポジショニング

　ブランドにとって、きわめて大切なのが「**ポジショニング**」です。ポジショニングとは、ＳＴＰの第３段階、すなわち**ターゲティング**（☞P.70）に続いて、標的と狙った顧客の頭の中に、特定のポジションを定めること。つまり、顧客が他社の商品やサービスと比べたときに、自社の商品やサービスがどう見られたいか、それを決めることです。

KBF

　ポジショニングのポイントは「他社の商品やサービスと比べたとき」と考えること。ブランドはもともと「競合他社の商品やサービスと**差別化**するため」（☞P.82）のもの。そこで大事になるのが「**KBF**」。

　ポジショニングは、このＫＢＦを基準にしておこないます。ただし、標的顧客によってＫＢＦは変わるので要注意。

ポジショニング・マップ

ポジショニングを考える際に、よく使われるのが「**ポジショニング・マップ**」の手法です。ポジショニング・マップでは、標的顧客のKBFを徹底的に検討し、相関性の低い2つを選んで、縦軸と横軸に設定します。ここでは「若い女性を標的顧客にしたスマートフォン」を例に、ポジショニング・マップを考えてみました。

ポジショニング・マップ

- 競合他社もマッピングします
- 女性にはオシャレなものが好まれるのでここでは画面も含めたデザインを縦軸にとりました
- 他社と競合しないポジショニングを探すこともできます
- 女性の手は一般的に小さくて力が弱いのでサイズと重さを横軸にとりました

縦軸：デザインが良い ↔ デザインが良くない
横軸：大型重量 ↔ 小型軽量

配置：C社（左上）、自社（右上）、A社（中央右寄り）、B社（中央左寄り下）、D社（右下）

このように、ポジショニング・マップをつくることで、他社との違いを明確にできます。「軽くて小さくてオシャレ」を強調したマーケティングができるわけです。同じポジショニングを争う競合他社がないかもチェックできるし、もしも競合する先行他社があるときは、標的顧客を変えるという選択もできるでしょう。

Chapter 3 ブランド戦略の用語

差別化戦略

　商品やサービスをブランドにするには、他社の商品やサービスと差別化しなくてはなりません。ブランド化はすなわち、差別化といってもいいでしょう。しかし、差別化は前ページの例のような、商品やサービスだけでしかできないものでもありません。工夫をすれば、ほかにもいろいろな「差別化戦略」があるのです。

　もちろん、最もわかりやすい差別化の方法は、商品やサービスの違いです。消費者や顧客に対しても、最も説得力がある要素でしょう。
　しかし、企業の技術力や商品開発力が弱くて、商品やサービスそのものによる差別化がむずかしい場合でも、このようにさまざまな差別化戦略を立案できることは覚えておきましょう。

ファイブ・フォース・モデル

　差別化し、見つけたポジショニングをおびやかす要因も、市場には存在します。**マイケル・ポーター**先生は、市場で企業が直面する「競争要因」を5つあげました。有名な「**ファイブ・フォース・モデル**」です。この場合、競争によって自社が奪われるのは「利益」です。

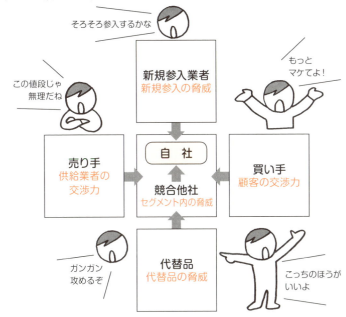

　ファイブ・フォース・モデルは、日本語で「**5つの脅威**」と訳されています。それにしても、仕入先や顧客まで自社の利益を脅かす脅威なのかと思われた方のために、次ページで少し説明を加えましょう。

who's who

マイケル・ポーター（1947年～）

アメリカの経営学者。戦略経営の第一人者。著書『競争の戦略』『競争優位の戦略』により、経営学における戦略研究の分野を確立した。

競合他社の脅威

　第1の脅威は、同じ**セグメント**（☞P.64）内にいる「**競合他社の脅威**」です。競合他社が多いほど、また強力なほど、自社の利益は小さなものになるでしょう。

　かといって、競合他社に対抗しようとすれば、価格競争、広告宣伝競争、新製品開発競争などになってしまいます。どれも多額のコストがかかるので、ますます利益が減ってしまいます。

新規参入の脅威

　第2の脅威は、別の業者がセグメントに参入して、新しい競合他社になってしまうこと。すなわち「**新規参入の脅威**」です。

　しかも新規参入業者がより強力だった場合、すでにある競合他社ともども、利益を奪われてしまいます。**参入障壁**（☞P.85）が高い場合もありますが、これは業界によるでしょう。

参入障壁

ここで「参入障壁」について見ておきましょう。参入障壁とは、その業界に新規参入しようとする企業にとって、参入を妨げる障害のことです。たとえば、新規参入に対する法律の規制などがあります。

一方、業界内の既存企業にとっては、参入障壁の高さが「新規参入の脅威」を測るモノサシになります。参入障壁が高いほど、新規参入がむずかしくなり、安心していられます。

代替品の脅威

第3の脅威は「代替品の脅威」です。ハンバーガーショップに対する牛丼店、ファストフードに対するコンビニ弁当など、代替品の業界はいくらでもあります。

代替品は価格が格段に安いことが多いので、市場を浸食されてしまうのです。対抗して値下げすると、今度は利益を減らすことになります。

買い手の交渉力

　第4の脅威は、意外かもしれませんが「**買い手の交渉力**」です。買い手が値下げを求めてきた場合、応じなければ取引を打ち切られたり、取引量を減らされるかもしれません。逆に応じると、値下げにより、やはり利益が減ります。

　むずかしいことですが、値下げを断っても買い手が取引を続けざるをえないような、強力な商品やサービスを開発したり、買い手の手間を少なくするなどが望まれます。

売り手の交渉力

　それでは「5つの脅威」に戻りましょう。第5の脅威は「**売り手の交渉力**」です。

　仕入先など供給業者が値上げを求めてくることがあります。売り手の交渉力が強かったり、供給する量を減らされるおそれがある場合は、値上げに応じて利益を減らすことになるでしょう。対抗策としては、最初から複数の供給業者と取引しておくことなどがあります。

マーケット・シェア

市場占有率

　5つの脅威の中でも、とくに競合他社を見る場合には、まず「マーケット・シェア」を調べます。つまり「市場占有率」を見るわけですね。でも本当は、全部で3つのシェアを見たほうが良いのです。

マインド・シェア

　消費者が、あるジャンルの商品やサービスを考えるとき、まっ先に思い浮かんだ割合が「マインド・シェア」。認知度の高さがわかります。

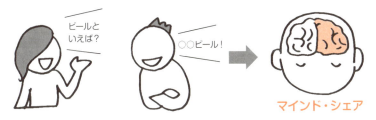

ハート・シェア

　消費者が、あるジャンルの商品やサービスを購入するとき、いちばん買いたいと思った割合が「ハート・シェア」。好感度といえます。

競争戦略

　マーケット・シェアを見ることで、市場での「競争戦略」を考えることができます。コトラー先生（☞P.20）が勧めているのは、マーケット・シェアごとに企業を「リーダー」「チャレンジャー」「フォロワー」「ニッチャー」に分類し、それぞれの競争戦略を立てる方法です。

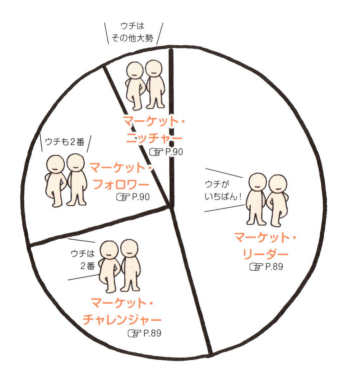

　「マーケット・リーダー」は、市場で最大のマーケット・シェアを誇る企業です。それに対して、マーケット・シェア2番手の企業は「マーケット・チャレンジャー」か「マーケット・フォロワー」のどちらかの戦略を選べます。また、それ以下のマーケット・シェアの企業と同様に「マーケット・ニッチャー」の戦略をとることも可能です。

マーケット・リーダー

「マーケット・リーダー」にとって第1の戦略は、市場を拡大する努力をすることです。市場が大きくなれば、シェアは同じでも販売額が伸びます。しかも最大シェアのリーダーの販売額が最も伸びます。第2の戦略はシェアも守ること。第3の戦略は守りつつ拡大すること。

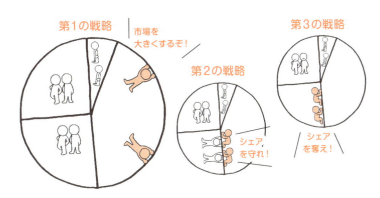

マーケット・チャレンジャー

「マーケット・チャレンジャー」にとって第1の戦略は、果敢にリーダーを攻撃してシェアを奪うこと。リスクは高いですが、リターンも大きいです。第2の戦略は同程度のシェアで業績が良くない企業のシェアを狙うこと。第3の戦略はもっと小さな企業を狙うことです。

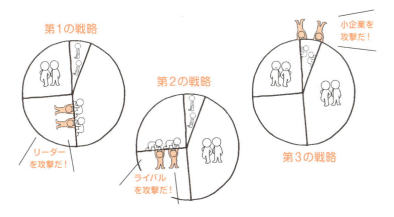

マーケット・フォロワー

「マーケット・フォロワー」は、他の企業と協調して市場に波風を立てないようにします。商品やサービスはリーダーの真似をするので、開発費などをあまりかけずに利益をあげられます。そのため戦略も、リーダーと少し変える、ある程度変える、別の市場で売る、などです。

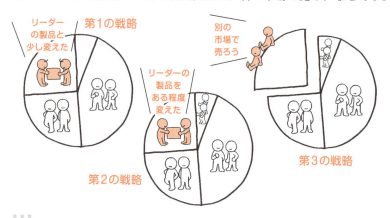

マーケット・ニッチャー

大きな市場のフォロワーになるよりも、小さな市場＝ニッチでリーダーになろうというのが「マーケット・ニッチャー」です。これなら競争しないでシェアが守れます。ただ、ニッチはニーズが弱まることがあるので、複数押さえておくと安心です。

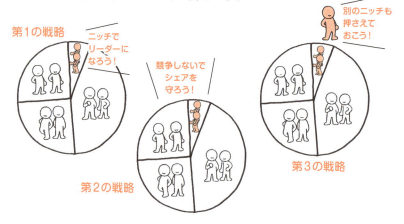

マーケティング戦略の用語

イゴール・アンゾフ
(1918～2002年)

経営戦略

「**経営戦略**」とは、企業の中・長期的な方針や計画のこと。**マーケティング戦略**との違いは、大きく分けて3つの考え方があります。

①マーケティング戦略は経営戦略の上に立つ

顧客が求める商品やサービスを提供するのが企業経営の目標。顧客視点なくして、経営戦略はあり得ない、という考え方。

②マーケティング戦略と経営戦略は同じレベル

マーケティングは全社の活動に関わるものだから、経営戦略とマーケティング戦略を明確に区別するのはむずかしい。実際には両者はほぼ同じものになる、という考え方。

③経営戦略はマーケティング戦略の上位に立つ

企業が経営をおこなうにあたって、最も重要なのは「経営理念」「経営ビジョン」などと呼ばれるもの。それを戦略に落としたのが経営戦略だから最上位。マーケティング戦略は経営戦略の一部、という考え方。

「マーケティング」の範囲をどうとらえるかで、考え方が違ってくるわけですね。いずれにしても、マーケティング戦略は経営戦略と密接な関係にあり、ときには不可分であることを覚えておきましょう。

コア・コンピタンス

　経営戦略にとっても、マーケティング戦略にとっても、重要なことは自社の「**コア・コンピタンス**」を明確に見きわめて、それを活かした戦略を実行することです。コア・コンピタンスとは、**競合他社より圧倒的に優れた、中核となる能力**のこと。この概念を提唱した**ゲイリー・ハメル**教授によれば、次の3つの特徴があります。

ケイパビリティ

　一方、同じ能力でも、組織力を示すのが「**ケイパビリティ**」です。コア・コンピタンスと連動して企業の競争優位を生み出します。

---

who's who

ゲイリー・ハメル（1954年〜）

アメリカの経営学者、コンサルタント。経営論、戦略論の第一人者。著書に『コア・コンピタンス経営――未来への競争戦略』『経営の未来』など多数。

アンゾフの成長マトリックス

事業拡大マトリックス、成長ベクトル

　企業は、成長し続けなければなりません。成長のチャンスを発見し、成長戦略を決定する**フレームワーク**（枠組み）としては、「**アンゾフの成長マトリックス**」がよく知られています。
「市場」と「商品やサービス」を縦軸・横軸にとり、それぞれ「既存」「新規」のどちらを狙うかによって、4つの戦略を考えるものです。

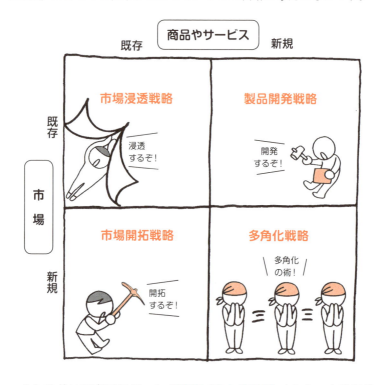

　それ以前は軍事用語だった「**戦略（ストラテジー）**」を、企業経営にあてはめて体系的に理論を整備したのが、**イゴール・アンゾフ**先生です。市場における競合他社との競争を、戦闘にあてはめたわけですね。
　そして、論文『多角化のための戦略』で提唱されたのが、この成長マトリックス。これによれば企業の成長戦略は、次ページのように大きく分けて4つになります。

市場浸透戦略

市場開拓戦略

製品開発戦略

多角化戦略

Chapter 4　マーケティング戦略の用語

who's who　企業の成長戦略は大きく分けて4つ！

イゴール・アンゾフ（1918〜2002年）

「経営戦略の父」と呼ばれたアメリカの経営学者、戦略経営論の創始者。著書に『企業戦略論』『戦略経営論』など。

統合的成長

　アンゾフの成長マトリックスで示されたような成長戦略は、「集中的成長」といいます。しかし、集中的成長だけが成長戦略ではありません。たとえばM＆A。買収による「統合的成長」の戦略もあります。

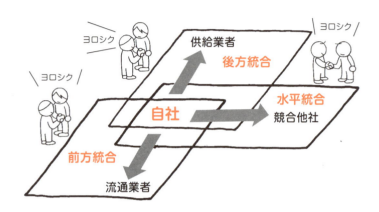

多角的成長

　また、アンゾフの成長マトリックスで多角化戦略をとった場合は、「多角的成長」です。これにも3つのタイプがあります。

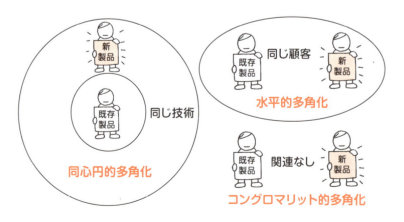

SWOT分析

　経営戦略も、マーケティング戦略も、戦略を立てる前に、環境を調べる必要があります。環境には、企業をとりまく「**外部環境**」と、企業自身の「**内部環境**」があります。これを分析するのが「**SWOT分析**」。企業の「**強み**」「**弱み**」「**機会**」「**脅威**」の英語の頭文字から、「SWOT」と名づけられています。

　上図のように、内部環境・外部環境それぞれに、プラス要因・マイナス要因を整理していくと、企業の「強み」「弱み」「機会」「脅威」がわかります。この考え方自体は昔からありましたが、1960年代から、これをより洗練されたものに整理したスタンフォード大学の**アルバート・ハンフリー**氏が現代のSWOT分析の創始者とされています。

機会

　ＳＷＯＴ分析の手順は、通常は外部環境の分析から始めます。外部環境は内部環境に影響を与えることがあるからです。たとえば、円高で輸入原材料のコストが下がれば「Opportunity（機会）」になります。

　要するに外部環境とは、企業が自分では左右できない市場や社会の状況などのことです。そこに、企業にとってプラスに働く要因があれば「Opportunity（機会）」になります。

脅威

　外部環境については、機会とともに「Threat（脅威）」をリストアップしていきます。たとえば、消費者の買い控えで需要が低迷しているといった場合は、機会ではなく「Threat（脅威）」です。

　このように、「機会」とは反対に、企業にとってマイナスに働く要因が「Threat（脅威）」です。同じマイナスに働く要因でも、企業には左右できない要因が「脅威」であることに注意してください。

強み

内部環境では、自社や自社の商品、サービスなどについて、まず「Strength（強み）」をリストアップしていきます。たとえば自社の財務体質が健全ならば、それが「Strength（強み）」になります。

外部環境についてもいえることですが、検討する項目はあらかじめ決めておくようにします。たとえば経営資源について検討すると決めておくと、財務体質や人材、資産などの項目が出てきます。

弱み

同じ経営資源でも、たとえば技術力が弱い場合は「Weakness（弱み）」。ただし、内部環境についての検討は、外部環境と違って主観的になりがちなので注意しましょう。

内部環境の分析を主観的にしないためには、競合他社と比較することです。競合他社にある技術が、自社にはないといえる場合に、技術力が弱いと指摘することができます。

クロスSWOT分析

　SWOT分析で整理した自社の「強み」「弱み」、外部環境の「機会」「脅威」から、とるべき戦略を導き出せます。下図のように「強み」「弱み」を縦軸に、「機会」「脅威」を横軸にしてクロスさせます。

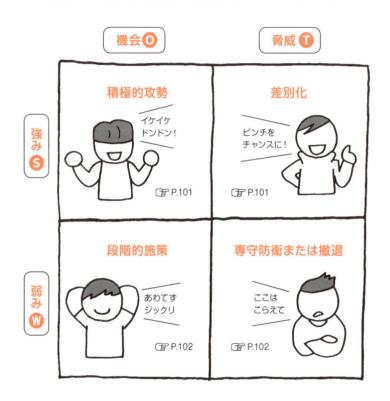

　外部環境は、自社ではどうにもならないものです。そのため、内部環境のほうをそれに適応させて、チャンスを活かす、あるいはピンチを切り抜けようというわけです。
　これを「**クロスSWOT分析**」といいます。

積極的攻勢

自社の**強み**がある分野に、チャンス（**機会**）が到来しているときは、**積極的に攻勢をかける戦略**がいちばんです。

たとえば、財務体質が強いという**強み**に、輸入原材料のコストが下がっているという**機会**がクロスしたら、低価格競争を仕掛けて一気に競合他社を突き放そうという戦略が立てられます。コストを下げてリーダーシップをとる戦略は、いつの時代も基本です（☞P.113）。

差別化

しかし、財務体質が健全という**強み**も、買い控えで需要が低迷という**脅威**に直面したら、**差別化戦略**を考えなくてはなりません。

たとえば、競合他社が売上げ減に悩んでいるのを尻目に、自慢の財務体質で積極的に広告をうってはどうでしょうか。

質の良い広告がうてれば、**ブランド・イメージ**（☞P.75）が上がって、イメージによる差別化ができるでしょう。

段階的施策

機会が到来しても、自社の弱みの分野では積極的な攻勢に出られません。ここはじっくりと、段階的な施策をうつ戦略でいきます。

たとえば、原材料コストが下がるという機会が訪れても、技術力が弱いという弱みがあっては、低価格の新製品を迅速に開発することはできません。既存製品の価格を下げて現状維持をはかりつつ、じっくりと新製品開発を進めて技術力を磨く施策が必要でしょう。

専守防衛または撤退

自社の弱みの分野に脅威があらわれたら、最悪の事態を避けるため、専守防衛か、または撤退する戦略を考えます。

たとえば、技術力が弱いところに需要の低迷が重なれば、新製品投入による需要喚起などは考えられません。マーケティングや財務力を活かして現状維持をはかるか、その分野からの撤退を検討します。

USP

内部環境を分析する項目の1つに、「USP（Unique Selling Proposition）」があります。日本語にすると「独自の売りの提案」といった意味の用語です。たとえば、下図のようなものがあります。

まるでキャッチフレーズのようですが、こうしたフレーズで示されるマーケティングのコンセプトがUSPなのです。的確なUSPがあると、売り手も顧客も自社のコンセプトを明確に理解できます。

KSF

SWOT分析などをおこなう目的の1つが、「KSF（Key Success Factor）」を導き出すこと。KSFとは、事業が成功するために必要な条件（**主要成功要因**）といった意味です。外部環境を分析すると、何が事業にとってKSFなのかが明確になります。一方、内部環境を分析すると、KSFを備えるための戦略を検討することができます。

マーケティング環境分析

　SWOT分析のように、外部環境や内部環境を分析し、自社の戦略につなげる**フレームワーク**（枠組み）を、総称して「**マーケティング環境分析**」といいます。SWOT分析だけでなく、さまざまなフレームワークが開発され、利用されています。

　それぞれのフレームワークは、単独で利用されることもありますが、フレームワークの一部を分析するために、他のフレームワークを利用することもあります。たとえばSWOT分析で、外部環境の分析に**PEST分析**（☞P.106）を利用するといった具合です。以下、主なマーケティング環境分析のフレームワークを見ていきましょう。

3C分析

3Cモデル、3Cフレームワーク

　SWOT分析と並ぶ、有名な環境分析のフレームワークが「**3C分析**」です。自社（Company）、顧客（Customer）、競合相手（Competitor）の3つの視点で分析をおこないます。

　この3Cに**マクロ環境**（☞P.133）の分析を加えると、マーケティング環境分析のほぼすべてがカバーできます。それらの分析から**KSF**（☞P.103）を見つけ出し、戦略を立てていきます。

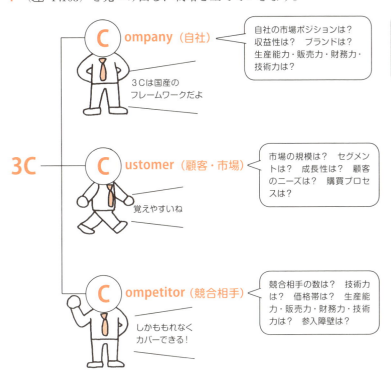

　環境分析の3Cというコンセプトを提唱したのは、世界的に活躍する経営コンサルタントの**大前研一**氏です。氏自身は、インターネットの出現で「競争相手が、誰かわからなくなっている」として、3Cはもはや通用しない、と述べています。それでも3Cは、最も基本的なフレームワークとして、いまでも多くの人に利用されています。

PEST分析

　外部環境には「マクロ環境」（☞P.133）と「ミクロ環境」があります。このうちマクロ環境は企業が自分の力ではどうすることもできない環境です。マクロ環境を分析する代表的なフレームワークが「PEST分析」です。「PEST」とは、下図のように4つの環境要因の頭文字をとったものです。

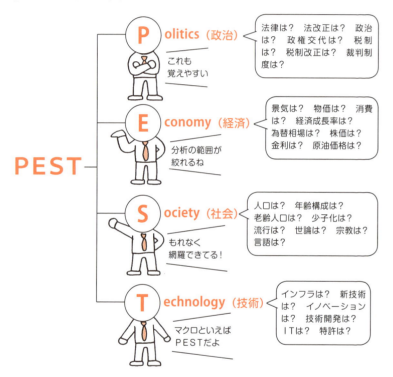

　PEST分析を提唱したのは、コトラー先生（☞P.20）です。マクロ環境は非常に範囲が広いものですが、PESTという用語をキーワードに分析を進めると、範囲を効率的に絞ることができます。しかも、重要な分野はもれなく網羅できるので、マクロ環境分析といえばPEST分析、というくらい重要なフレームワークになっています。

GCS分析

　ミクロ環境とは、簡単にいうと、企業がある程度コントロールできる環境のことです。たとえば顧客や競合などは、マーケティング次第で、ある程度コントロールできますね。環境分析をおこなうときは、便宜的に業界内だけで考えることもあります（☞P.108）。

　ミクロ環境を分析するフレームワークとしては、たとえば「GCS分析」があります。「GCS」とは、下図のようにジャンル、カテゴリー、セグメントの頭文字です。

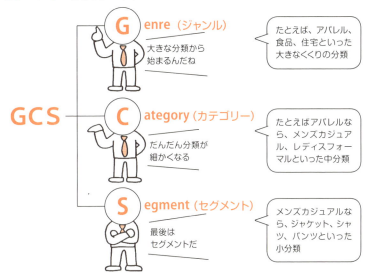

　このように、順番に細かい分類の消費者動向などを分析することで、現在よりも魅力的なカテゴリーを検討したり、同じカテゴリー内の他のセグメントから、製品開発の新しいテーマを発見できます。

5F分析

ファイブ・フォース分析

　GCS分析は、3C分析でいえば「Customer（顧客）」のミクロ分析ですが、「Competitor（競合相手）」のミクロ分析をするフレームワークが「**5F（ファイブ・フォース）分析**」です。ポーター先生の**ファイブ・フォース・モデル**（☞P.83）のフレームワークから、企業をとりまく脅威の実態と、業界の構造を把握する分析です。

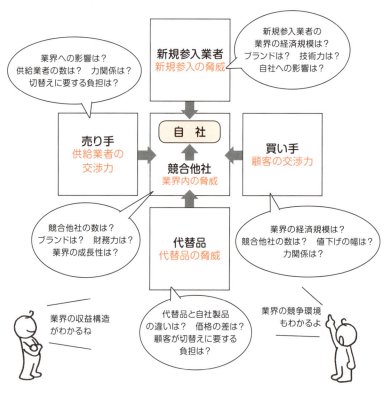

　5F分析は、自社が属する業界の構造を知るのに適したフレームワークです。とくに業界内の企業がどのようにして収益をあげているか——収益構造と、競合他社以外にもいる、収益を奪い合う競争相手——脅威との競争環境がよくわかります。業界分析が必要になったときは、まず思い出したいフレームワークです。

4P分析

「4P」といえば「マッカーシーの4P（☞P.22）」。製品、価格、流通、販売促進の4つの「P」のことです。「マーケティングの4P」とも呼ばれるこの基本的なフレームワークで、ミクロ環境分析をします。

3C分析などは戦略の大きな方向性を見るのに対して、こちらは戦略の細部の検討や、具体的な内容を決めるのに利用されます。

たとえば、競合他社の商品やサービスを4P分析し、自社の商品やサービスについてもあらためて4P分析すると、どちらがどのように優位なのかがわかります。また、とくにUSP（☞P.103）の検討をおこなう際には4P分析が有効です。現在のUSPが実際の4Pと合っているのか、顧客に訴求できているのかなどがチェックできます。

ＰＰＭ分析

プロダクト・ポートフォリオ・マネジメント、ＰＰＭマトリックス

　複数の商品やサービス、事業を扱っている企業が、どの商品やサービスに、どれだけの経営資源を配分するか――その判断のために開発されたのが「**プロダクト・ポートフォリオ・マネジメント（Product Portfolio Management）**」、略して「**ＰＰＭ**」です。縦軸に市場成長率、横軸に相対的な市場占有率をとったマトリックスを使います。

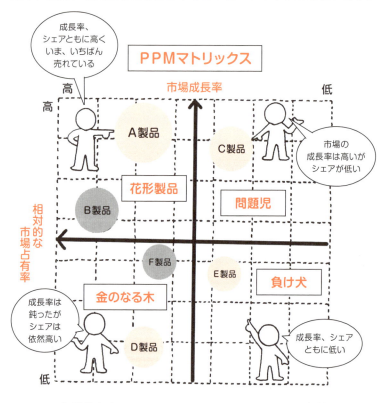

　ＰＰＭを開発したのはアメリカのコンサルティング会社、ボストン・コンサルティング・グループです。なので、4つの象限にはもともと英語の名前がついていますが、一般的に「花形製品」のような日本語が割り当てられています。それぞれの現状と、今後とるべき戦略は、次ページのようなものです。

花形製品

「花形製品(Star)」は、利益は大きいが、シェア維持のコストもかかる。シェアが維持できれば「金のなる木」になるが、できないときは「問題児」になる。シェアを守りながら、市場成熟期に「金のなる木」をめざす。

金のなる木

「金のなる木(Cash cow)」は、コストがかからないわりに利益が大きく、全体の収益源になっている。このまま、できるだけ利益を大きく、長くあげる戦略を立てる。

問題児

「問題児(Question mark または Problem children)」は、シェアが低いために利益は少ない。市場の成長率が高い分、シェア維持のコストもかかる。経営資源を投入して「花形製品」にするか、撤退するかの経営判断が必要。

負け犬

「負け犬(Dog)」は、成長率、シェアともに低いので、利益があがらない代わりに、コストもかからない。できるだけ利益をあげる戦略を立てるか、撤退する判断をする。

ポーターの競争優位の戦略

さまざまな分析から、マーケティング戦略をどう導き出すか——**マイケル・ポーター**先生（☞P.83）は、競争上のポジショニングとターゲットの幅から「**3つの基本戦略**」を提案しています。競争上のポジショニングとは、ローコストで勝負するか、デザインや品質などの差別化で勝負するか。ターゲットの幅とは、広くとるか狭くとるかです。

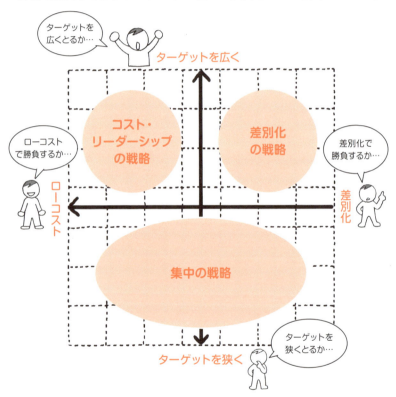

競争上のポジショニングをローコストにとり、ターゲットの幅を広くとると「**コスト・リーダーシップの戦略**」、差別化でターゲットの幅を広くとると「**差別化の戦略**」、ターゲットの幅を狭くとると「**集中の戦略**」が導き出されます。これが「ポーターの競争優位の戦略」として知られる3つの基本戦略です。

コスト・リーダーシップの戦略

　製造コスト、流通コストを下げて、低い価格に設定できるようにすることで、大きな市場シェアを獲得しようというのが「**コスト・リーダーシップの戦略**」です。マーケティングはそれほど必要ないかも。

差別化の戦略

　高価格でも、顧客のニーズに応えた商品やサービスで大きな市場シェアを狙うのが「**差別化の戦略**」です。どれだけ顧客のニーズに応えられるかと、それを伝えるマーケティング戦略が重要です。

集中の戦略

　狭いセグメントに絞り込んで集中し、そのセグメントでコスト・リーダーシップか差別化を狙うのが「**集中の戦略**」です。そのセグメントで最大のシェアを獲得し、リーダーとなることが目標です。

ランチェスター戦略

ランチェスターの法則、ランチェスター経営

　ポーターの3つの基本戦略のうち、「集中の戦略」は規模の小さな企業でも選択できます。このような「弱者の戦略」として有名なものに、「**ランチェスター戦略**」があります。イギリスの航空技術者**フレデリック・ランチェスター**氏が、第一次大戦中の空中戦を分析して、どうすれば戦いに勝てるかを、法則としてまとめたものが原点です。

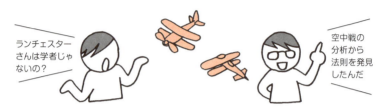

　それが第二次大戦での軍事利用を経て、戦後、経営学の視点から注目され、日本でも田岡信夫氏の著書『ランチェスター販売戦略』などが出版されて、経営戦略として普及しました。

ランチェスターの第1法則

　ランチェスターの法則には「**第1法則（弱者の戦略）**」と「**第2法則（強者の戦略）**」があります。第1法則は昔の戦い方に適用される法則で、簡単にまとめると下図の式になります。第2法則と比べると、兵力の差による戦闘力の差が格段に小さいので、弱者は第1法則が適用される戦い方をすれば、強者に勝つ可能性があります。

ランチェスターの第1法則が適用される「昔の戦い方」とは、経営戦略にあてはめると（武器効率が同じなら）、①競合相手の少ない市場で戦う（**一騎討ち**）、②小さいセグメントで戦う（**局地戦**）、③大規模な広告よりも、きめ細かいコミュニケーション（**接近戦**）、といったところでしょうか。

　ランチェスター戦略にはこのほか、「陽動作戦」というものが含まれていますが、これは奇襲作戦の一種と考えればよいでしょう。

一点集中

　そして、ランチェスター戦略から導き出される最も重要な原則の1つが「**一点集中**」です。小さな企業でも、経営資源（ヒト、モノ、カネなど）を小さな市場に一点集中させれば、大企業がその市場に投じる経営資源を上回る可能性があります。つまり、第1法則の式において兵力数で上回り、勝利をおさめることができるわけです。

ランチェスターの第2法則

弱者の戦略があるからには、「強者の戦略」もあります。それが「ランチェスターの第2法則」で、次のような式になります。

ランチェスターの第2法則

戦闘力＝武器効率×兵力数の2乗

ランチェスターの第1法則

戦闘力＝武器効率×兵力数

なんと、兵力数が2乗になって、戦闘力の大きな差になるのです。もしもあなたが大企業の立場なら、絶対にこちらで戦うべきでしょう。第2法則が適用されるのは次のような近代の戦い方とされています。

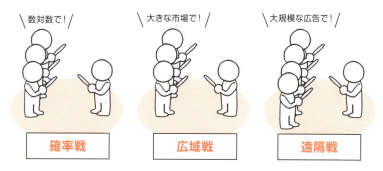

つまり、①数対数で勝負する（**確率戦**）、②大きな市場で戦う（**広域戦**）、③大規模な広告をうつ（**遠隔戦**）などです。

これらに加えて、奇襲作戦に対しては相手を自分の土俵に引き込み（**誘導作戦**）、一点集中に対しては大企業の総合力（**総合戦**）で戦えば、勝利は間違いなし。これが「強者の戦略」というものです。

ブルー・オーシャン戦略

　ポーターの競争優位の戦略や、ランチェスター戦略が求められるような、競争の激しい既存市場を「赤い海（レッド・オーシャン）」にたとえ、その外には競争のない、広大な「青い海」のような市場が広がっている、と説くのが「**ブルー・オーシャン戦略**」です。W・チャン・キム教授とレネ・モボルニュ教授が著書の中で提唱しました。

　そのためには、「バリュー・イノベーション（価値革新）」という考え方で、新しい市場を創造することが必要だとしています。

レッド・オーシャン

　競争の激しい既存市場「**レッド・オーシャン**」との違いは、たとえばポーター先生が「競争上のポジショニングは、ローコストか、差別化しかない（☞P.112）」といっているところを、何かの機能を「減らす」「取り除く」ことでローコストを、「増やす」「付け加える」ことで高付加価値化（差別化）できると主張する点です。

「取り除く」「増やす」「減らす」「付け加える」の各セグメントにあてはめて、自社の事業を整理するツール

アクション・マトリクス

戦略キャンバス

横軸に競争要因、縦軸に競争要因のレベルをとって他社と比較し、新しい市場を創造できる可能性を測るツール

BOP

「Bottom Of Pyramid」の略。1人あたりの年間所得が3,000ドル以下で生活する階層をさす。世界の人口の半数以上にあたるといわれる。この層を援助の対象としてではなく、市場とみなして利益をあげる一方で、当人たちにも所得をもたらすようなビジネス・モデルを「BOPビジネス」という。また、BOPに対しては通常のマーケティング手法が通用しないため、「BOPマーケティング」も提唱されている。

VRIO分析

企業の経営資源を分析するフレームワーク。Value（経済的な価値）、Rareness（希少性）、Imitability（模倣困難性）、Organization（経営資源を活用できる組織）の4つに分けて分析をおこない、企業の経営資源が競争優位性（☞P.284）をどれだけもっているかを把握する。アメリカの経営戦略の大家ジェイ・B・バーニー教授が著書『企業戦略論　競争優位の構築と持続』の中で提唱した。

デ・マーケティング

売れないようにするマーケティング。すなわち、プロモーションのとりやめなどで需要を減少させる。需要に、供給が追いつかない場合などにおこなわれる。

Chapter

マーケティング・リサーチの用語

マーケティング・リサーチ

市場調査

「**マーケティング・リサーチ**」——**市場調査**と聞くと、アンケート調査のイメージが強いですが、アンケートだけがマーケティング・リサーチの方法ではありません。また、アンケートだけおこなえばマーケティング・リサーチが終わるわけでもないのです。下図のように、最低でも6段階のステップを踏むことが必要です。

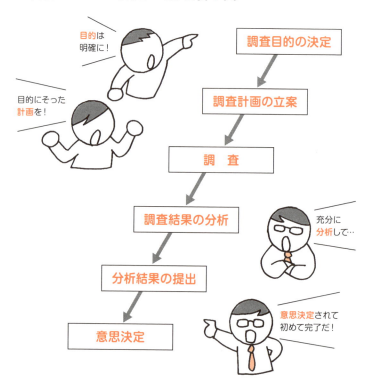

とくに、調査の前段階では、まず調査の目的を明確にしておくこと。そして、目的にそった調査の計画をきちんと立てることが大切になります。さらに、調査の結果は充分に分析し、提出した後、その調査を必要とした人が意思決定をおこなって、初めてマーケティング・リサーチが完了したといえるのです。

一次データ

マーケティング・リサーチで収集するデータには、「**一次データ**」と「**二次データ**」があり、そのどちらか、または両方を収集します。一次データとは、調査の目的のために新規に収集するデータのこと。二次データは、別の目的のために、すでにどこかで収集されているデータです。そのため不完全だったり、古かったりすることもあります。

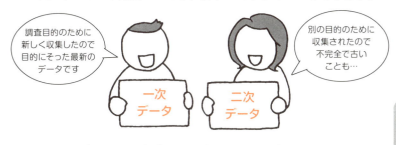

しかし、一次データの収集には膨大なコストと時間がかかります。

二次データ

一方、「**二次データ**」は低コストで、すぐに入手できます。そこで通常は、まず二次データにあたり、足りない部分は新規の一次データを収集します。二次データとしては、公表されている各種の市場調査や統計などのほか、社内にある売上データや顧客情報も重要です。

社内データなら、市場の状況や顧客動向の、具体的で詳細な情報が入手できます。それらがタダで、いつでも、制限なしに利用できます。

仮説思考

　調査計画を作成するときに重要なのは、意外かもしれませんが「**仮説思考**」です。関連のある情報は何でも収集しよう、とりあえず情報を集めてから考えよう——では、膨大な時間とコストがかかってしまいますよね。調査の目的に対して、結論の仮説を設定し、その仮説にそっておこなうことで、効率的かつ精度の高い調査ができるのです。

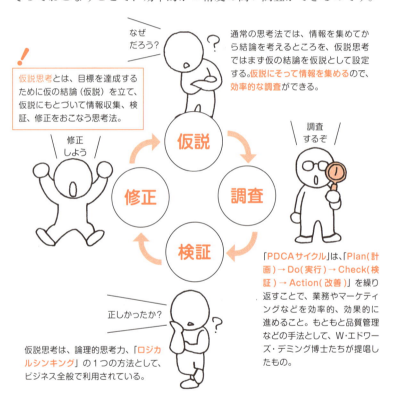

　ただし、仮説を立てっぱなしにしてはいけません。調査を始めたら結果を検証し、必要なら仮説に修正を加えることです。**PDCA（ピーディーシーエー）サイクル**と同じで、何度でも継続的に修正を加えることで、調査の精度を高めることができます。この繰り返しによって、最も短時間で低コストの調査が可能になるのです。

シーズ志向

　一般的に、マーケティング・リサーチは消費者のニーズをとらえる目的でおこなわれます。しかし、ときには企業の独自の技術や素材、**シーズ**（☞P.33）から出発する（**シーズ志向**）こともあります。

　シーズ志向のマーケティング・リサーチが有効な場合があるのは、顕在化していないニーズ――**ウォンツ**（☞P.33）があるからです。顕在化したニーズだけをリサーチしても、ウォンツは発見できません。しかし、シーズ志向ならウォンツを発見できる可能性があります。

ニーズ志向

　というよりも、シーズ志向と**ニーズ志向**をマッチングさせるマーケティング・リサーチというべきでしょう。自社のシーズから出発して、消費者の潜在的なニーズ――ウォンツのある市場を志向するのです。

　もし、シーズから出発した新しい商品やサービスが、ウォンツを掘り起こし、ニーズとして顕在化すれば、これは最強のコンビネーションとなります。シーズは自社独自の強みですから、他社はニーズがあるとわかっても容易に参入できないからです。

定量調査

マーケティング・リサーチの方法には、大きく分けて「**定量調査**」と「**定性調査**」の2つがあります。

「**定量調査**」では収集したデータを数値（量）化することを前提に、質問と回答の選択肢を用意します。結果は数値化されるため、消費者が何を選んで、何を選ばなかったかが、明確にわかる点が特長です。

定性調査

一方、「**定性調査**」は、数値化できない言葉や文章などのデータを収集します。要するに、インタビューのようなものです。定性調査では、「なぜ」「どのように」といった理由や動向が調査の対象です。

定量調査と定性調査は、どちらが良いというものではないので、調査の目的によって使い分けます。数値化できる明確なデータを求めるには定量調査、新しい発見などを求めるには定性調査が適切です。

サーベイ調査

定量調査の代表的なものに「サーベイ調査」があります。これは要するに、質問票をつくっておこなう調査です。サーベイ調査には、次のような特徴があります。

面接調査

サーベイ調査の手法としては、「面接調査」が最も古典的で代表的です。調査員が1対1で対象者から回答を聞き取る手法で、自宅を訪問して玄関などで聞き取る「訪問面接調査」もあります。

面接調査のほかでは、面接調査を簡便にした「電話調査」、調査票を郵送して返送してもらう「郵送調査」、調査票の回収は調査員がおこなう「留置（とめおき）調査」などの手法が代表的です。

ネット調査

　サーベイ調査の多くは、現在では「**ネット調査（ネット・リサーチ、ウェブ（Web）調査）**」にとって代わられています。一般的なのは、リサーチ会社に登録した「パネル」とか「モニター」と呼ばれる人を対象に、依頼された調査をおこなうもので、次のような点が特徴です。

観察調査

　もう1つ、代表的な**定量調査**の方法に「**観察調査**」があります。人やモノの行動、動きを観察し、事実を記録する調査です。お店などの出入り客数や、道路・通路の通行量、商品の店頭価格などが調査の対象になります。特長は、正確な情報にもとづくデータであること。質問によるデータと違い、客観的な事実が収集できます。

フォーカス・グループ・インタビュー

一方、**定性調査**の代表格が「**フォーカス・グループ・インタビュー**」。略して「**FGI**」ともいいます。フォーカス——特定の条件にもとづいて選んだ5〜8人くらいの人に、司会者の指示で2時間ほど話し合ってもらい、情報を収集する方法です。ほかに1対1や、訪問しておこなう形式のインタビューもあります。

フォーカス・グループ・インタビュー	ディティールド・インタビュー	インデプス・インタビュー
司会者と5〜8人で	1対1で	訪問して

アドホック調査

定量調査、**定性調査**とも、調査は1回限りのこともあれば、何度も繰り返すこともあります。1回限りで、イチから新しくおこなうのが「**アドホック調査**」ですが、ほかにもこんな調査があります。

「一発勝負だ」

アドホック調査

単発でおこなう調査。調査計画からつくるので時間とコストがかかる。新製品開発のための調査などは、これでないとできない

「何度でもやるわ」

トラッキング調査

同じ内容を一定期間繰り返す調査。「**ベンチマーク調査**」ともいう。新製品発売後、認知度などを一定の間隔で調査したりする

「またかよ」

パネル調査

同じ調査対象に対して、同じ内容を、一定の間隔で繰り返す調査。市場調査などでは、市場の変化や変化の理由、過程などがわかる

サンプリング

　マーケティング・リサーチは、ほとんどの場合、調査の対象となる集団全体を調べる「全数調査」ではなく、一部を抜き出して調べる「標本調査」です。

　集団全体のことを「母集団(ぼしゅうだん)」と呼びますが、母集団から調査の対象になる「標本(ひょうほん)」を抜き出すことを「**サンプリング**」といいます。サンプリングのためには、次の3点を決めなければなりません。

①母集団とサンプリング単位
→母集団をどこまでにするか？　調査の単位は何か？

②サンプル・サイズ
→サンプルは何人にするか？

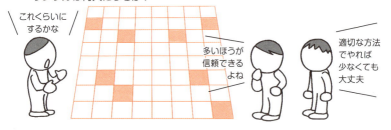

③サンプリング手順
→サンプルをどう選ぶか？

クロス分析

　収集したデータの分析方法としては、**定量調査**では「**クロス分析**」が最も一般的です。おなじみの、タテヨコの集計表ですね。クロス分析では、タテヨコ2つの調査項目の関係をクロスさせて分析することによって、因果関係を明らかにします。

商品価格帯別購買者

（単位：％）

		全体	価格帯別					
			～10万円	～20万円	～30万円	～40万円	～50万円	50万円上
全体		100.0	100.0	100.0	100.0	100.0	100.0	100.0
男性計		78.2	50.5	63.1	77.7	84.4	86.3	90.0
女性計		21.8	49.5	36.9	22.3	15.6	13.7	10.0
男性	～20歳	9.9	6.4	8.2	9.6	10.7	10.9	11.4
	～30歳	18.8	11.8	15.5	18.6	20.3	20.7	21.6
	～40歳	20.2	11.9	16.4	19.6	21.8	22.3	23.2
	～50歳	13.0	10.5	12.9	14.0	14.3		
	～60歳	8.7	5.6	7.0	8.6	9.4	9.6	
	60歳上	7.6	4.9	6.1	7.6	8.2	8.4	
女性	～20歳	2.8	6.4	4.7	2.8	2.0	1.8	1.3
	～30歳	5.2	11.8	8.8	5.1	3.7	3.3	
	～40歳	5.6	12.5	9.5	5.3	4.0	3.5	2.6
	～50歳	3.6	8.2	6.1	3.7	2.6	2.3	1.7
	～60歳	2.4	5.4	4.1	2.5	1.7	1.5	1.1
	60歳上	2.2	5.0	3.7	2.3	1.6	1.4	1.0

タテヨコにクロスさせるわけだ

よく見る集計表みたいだけど…

価格帯が低いほど女性の割合が高いことがわかるね

30代、40代が女性の購買層の中心だな

20歳以下、60歳以上は購買が減る

　数値の大小によって、上図の人たちが話しているような性別や年齢との因果関係、傾向といったものがわかります。もっとも、クロス分析では大きく分けて2つの調査項目しか分析できません。そこで、もっと複雑な項目の関係を分析したいときは……（次ページに続く）。

クラスター分析

「**クラスター分析**」も、**定量調査**の分析に最もよく使われるといわれる方法です。ザックリいうと、クラスター分析とは、データをグループ分けする方法です。

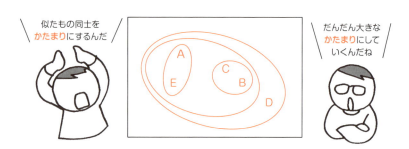

クラスターとは「かたまり」のことで、さまざまな性質のものが集まって分類の基準がない集団から、似ている性質のものをかたまりにしていきます。似ているか似ていないかは、数学的な方法で判定します。クラスター分析にはいくつかの方法がありますが、1つの方法では最終的に下図のような**樹形図**（**デンドログラム**）ができます。

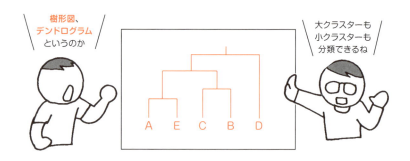

これで小分類から大分類に至る過程がわかるので、小さなクラスターにでも大きなクラスターにでも分類が可能になります。そして、クラスターごとにマーケティングを変えるといった活用が可能です。

多変量解析

クラスター分析のように、複雑な要素をもつ**定量調査**のデータを分析する統計手法を総称して「**多変量解析**」といいます。クラスター分析以外にも、いろいろな多変量解析の方法が開発されています。以下、名前だけあげておきましょう。

テキスト・マイニング

一方、**定性調査**の分析には、たとえば「**テキスト・マイニング**」という手法があります。文章を単語や文節に分解して、出現頻度や相互の関係などを分析するものです。なぜ、どのようにといった、定量調査ではわからない理由や動向がわかります。実際の分析はコンピュータでおこない、SNSなどの文字情報を分析することもできます。

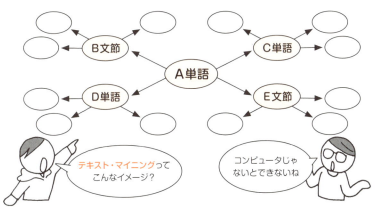

トレンド

　マーケティング・リサーチをおこなう一方で、世の中の大きな流れを見きわめることも重要です。マーケティングでは、世の中の流れを2つに分けて考えることがあります。勢いがあり、連続的に長く続く流れが「**トレンド**」です。

ファッド

　一方、一時の流行で短期間に終わり、社会的にも経済的にも政治的にも重要でない流れは「**ファッド**」といいます。ファッドは気にする必要はありませんが、大きなトレンドには逆らわず、流れに乗れれば商品やサービスが成功する可能性が高くなります。

マクロ環境

　コトラー先生（☞ P.20）は、世の中の大きなトレンドとして、下図の外側の円、6つの要因に注意しなければならないとおっしゃっています。これらは、企業が自分ではコントロールできない「**マクロ環境**」です。企業としてはそのトレンドを変えることはできないので、流れを見きわめて対応していかなければなりません。

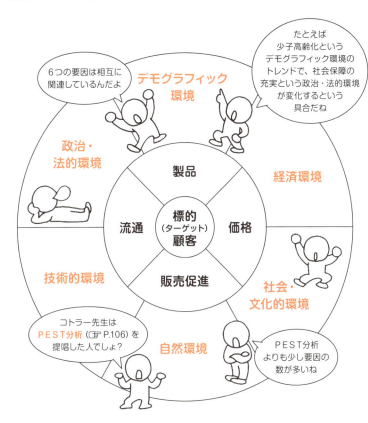

　なぜ円の中心が**マーケティング（マッカーシー）の4P**（☞ P.22）なのかというと、4Pが企業のコントロールできる要因だからです。コントロールできないマクロ環境のトレンドに対応して、市場の中心にいる顧客との間をつなぐのがマーケティングの役割なのです。

重回帰分析

多変量解析（☞ P.131）の手法の1つ。単回帰分析が目的とする変数を1つの変数で予測するのに対し、重回帰分析では複数の変数で予測をおこなう。

判別分析

多変量解析の手法の1つ。対象者の回答データから、対象者がどの群に属するかを判別する。

コンジョイント分析

多変量解析の手法の1つ。全体の評価をおこなうことで、個々の要素が影響する程度を計算する。

共分散構造分析

多変量解析の手法の1つ。多数の変数の因果関係に関する仮説を検証し、因果関係の程度を明確にする。

数量化理論

多変量解析の手法の1つ。質的なデータを擬似的に変換して量的なデータとし、多変量解析の対象とする。数量化Ⅰ類からⅣ類まであり、Ⅰ類は重回帰分析（☞ P.134）、Ⅱ類は判別分析（☞ P.134）、Ⅲ類は主成分分析（☞ P.287）、Ⅳ類は多次元尺度構成法に対応する。

因子分析

多変量解析の手法の1つ。共通因子を見つけて、複数の変数の間の関係性を調べる。

製品戦略
の用語

製品

プロダクト、市場提供物

「製品」と聞くと、製造された工業製品を思い浮かべがちですが、マーケティングの対象になるのはその製品に限りません。コトラー先生（☞ P.20）は、ニーズを満たすために市場に提供されるものは何でも製品（プロダクト：Product）だとして、次の10種類をマーケティングの対象だとしています。

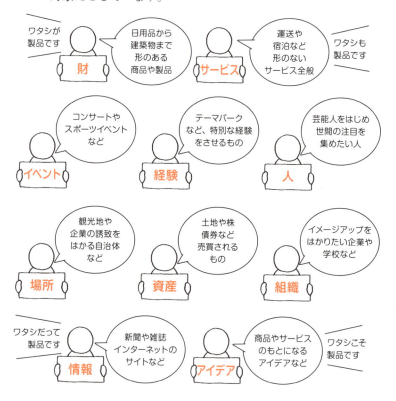

要するに、世の中のほとんどのコトやモノは、マーケティングの対象になりうるということです。もっとも、人や情報まで製品というのは少し抵抗があるかも。そこで、マーケティングの本などで正確ないい方をしたいときは「市場提供物（または提供物）」などといいます。アメリカ・マーケティング協会の定義でもそうでした（☞ P.30）。

製品レベル

コトラー先生はまた、製品にはレベル（**製品レベル**）があるといいます。何のレベルかというと、顧客が製品に期待する価値——すなわち、**顧客知覚価値**（☞P.44）のレベルです。

下図のように、レベルが上がるほど顧客知覚価値も上がります。

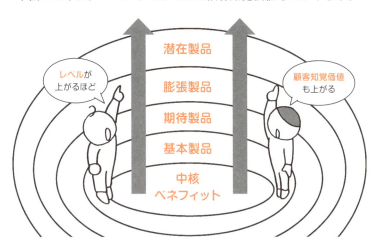

中核ベネフィット

最初の製品レベルは「**中核ベネフィット**」。ドリルなら穴が開く（☞P.42）レベル、食べものなら空腹を満たせるレベルです。ベネフィットに応える、顧客が最低限求めているレベルといえます。このレベルに達していないと、そもそも製品として市場で販売できないでしょう。

基本製品

　2番めの製品レベルは「基本製品」。顧客がこの程度は、と思う基本レベルです。食べものを提供するお店なら、座って食事ができるテーブルとイス、ある程度は選べるメニューと、ちゃんと調理された食材、といった程度でしょうか。開発途上国などでは、お店間の競争はだいたいこのレベルでおこなわれています。

期待製品

　3番めの製品レベルの「期待製品」になると、お店は顧客がふつうに期待する程度の条件を整えなければなりません。清潔な食器、安心・安全な食材、フツーにおいしい料理、フツーの接客、料理に見合ったフツーの値段など。フツーのお店はこの程度の期待に応えているので、競争はより安い値段や、より良い立地の勝負になります。

膨張製品

4番めの「膨張製品」では、ついに顧客の期待を超えます。期待以上のおいしい料理、注文しないでも出てくる食後のコーヒー、次回に利用できる割引券など。先進国では、お店はこのレベルで競争しています。しかし、そうしたサービスがコスト増につながると、その分を省いて低価格で提供する競争相手が出てきたりするものです。

潜在製品

また、どんなサービスも他店が真似して当たり前になってしまうと、膨張製品は期待製品レベルに落ちてしまいます。そこで5番めの製品レベルが「潜在製品」。現在の膨張製品にとどまらず、将来にわたって顧客の期待を超え続けるのです。顧客に誕生日を登録してもらい、誕生日の来店時にサプライズでバースデーケーキ、なんてのはいかが。

コープランドの製品分類

　マーケティングでは、製品レベルと同様に、製品の分類も重要です。製品のタイプによって、マーケティング戦略も変わってくるからです。「**コープランドの製品分類**」という、アメリカのマーケティング学者、**メルヴィン・コープランド**氏が提唱した有名な３分類があります。それは、消費者の購買習慣から次の３つに分類するものです。

最寄品

　「**最寄品**」は、ひんぱんに購入される製品で、消費者の知識も豊富です。価格が比較的安い、日用雑貨や食品などが代表的です。必要なときすぐに欲しいので、最寄りの店で買う習慣になります。

　メーカーとしては、よりたくさんの小売店で扱ってもらったほうが有利なので、卸売業者を通した流通などが必要になります。

買回品

「買回品」は、購入頻度が低く、消費者はあまり製品のことを知りません。価格も高いことが多いので、すぐに買おうとせず、いくつもの店を比較します。衣料品、家具、家電などは、買い回る購買習慣になります。販売店としては、消費者が充分に比較できるよう多種類の製品を揃え、店舗立地も人が集まる商業地などにすることが重要です。

専門品

クルマや高級ブランドなどの「専門品」では、消費者にとって価格は重要ではありません。ですから、わざわざ遠くの専門店まで買いに行くのも苦ではないし、買い回りもしないで購入する習慣になります。メーカーが選ぶべきは、**選択的流通**です（☞P.177）。ただし販売店には、広い範囲から消費者を引きつけられる立地が必要になります。

耐久財

　製品は、耐久性と、形があるかないかでも分類できます。食品や日用品など、すぐなくなるのは「**非耐久財**」。冷蔵庫や腕時計など、長く使えるのが「**耐久財**」。宿泊、カウンセリングなど形のないものは「**サービス**」です。非耐久財は、どこでも買えることが重要。耐久財は、高額なものが多いので**人的販売**（☞P.210）などが必要。サービスは、形が見えないだけに、品質などの信頼性がポイントになります。

生産財

　製品は用途、つまり消費者向けか、産業向けかでも分類できます。消費者向けの製品は「**消費財**」。それに対して原材料から工作機械まで、生産をおこなうための製品が「**生産財**」です。**コープランドの製品分類**（☞P.140）は消費財の分類ですが、生産財の分類は下図の３つです。その１つである「**資本財**」とは、機械や道具のことです。

製品ライン

プロダクト・ライン

　1つひとつの製品のことを「**製品アイテム**」と呼びます。製品アイテムの集合が「**製品ライン（プロダクト・ライン）**」です。製品ラインには、幅と深さという、2次元の要素があります。

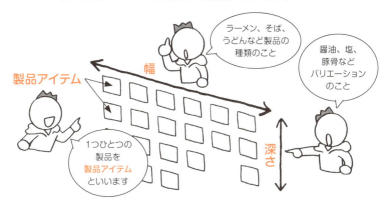

製品ミックス

　そして、製品ラインの集合が「**製品ミックス（プロダクト・ミックス）**」です。製品ミックスには、幅、長さ、深さ、一貫性の4次元の要素があります。

パッケージング

　製品アイテムの品質やデザインと同じくらい重要なのが、製品をどう包装するか、「**パッケージング**」です。売り場で顧客の注意を引き、製品の良さを伝え、製品——**ブランド**（☞P.36）を認知させて、企業の売上げや利益に貢献することができます。

　こうしたパッケージをつくるには、①ひと目で製品（ブランド）が特定できることや、②製品の情報をわかりやすく伝えていること、③製品を保護し、輸送しやすいこと、④家庭で保管しやすいこと、⑤製品を消費しやすいこと、などが重要です。

ラベリング

　形のある製品には、すべて「ラベル」をつけます。どんなラベルにするかが「ラベリング」です。最近はパッケージに印刷されたものも多くなっていますが、ラベリングには次のような働きがあります。

製品（ブランド）を識別させる

製品について説明する

製品のプロモーションをおこなう

イノベーションのベルカーブ

アメリカの経済学者**エベレット・ロジャース**氏によると、市場に出た新製品は、ベル（釣鐘）型のカーブを描いて普及するといいます。これを「**イノベーションのベルカーブ**」といいます。

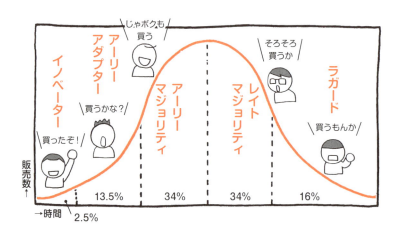

イノベーター

「イノベーションのベルカーブ」は、縦軸に販売数、横軸に時間をとっています。ロジャース氏の「イノベーター理論」によると、消費者は新製品購入に対する態度によって5つのグループに分類できます。最初のグループは「**イノベーター**」、日本語にすると「革新者」。全体の2.5％です。彼らは新しもの好きで、新製品を進んで取り入れます。

アーリーアダプター

　第2のグループは「**アーリーアダプター**」、日本語では「初期採用者」。全体の13.5%です。流行に敏感で、自分でイノベーターの評価などを情報収集して新製品を採用します。**オピニオン・リーダー**（☞P.53）になっていることも多く、その場合は新製品の普及についても周囲に大きな影響を与えることでしょう。

アーリーマジョリティ

　アーリーアダプターまでで全体の16%。ここが新製品普及のポイントとして「**普及率16%の論理**」と呼ばれ、ここを超えれば一般に普及するといわれています。続いて第3のグループは「**アーリーマジョリティ**」、日本語で「前期追随者」。全体の34%です。新製品の採用には慎重なものの、全体の中では比較的早くアーリーアダプターに追随します。「**ブリッジピープル**」とも呼ばれます。

レイトマジョリティ

　第4のグループは「レイトマジョリティ」、日本語では「後期追随者」。全体の34%です。新製品の採用には消極的なので、アーリーマジョリティの大半が採用しているのを見てから、ようやく採用します。「フォロワーズ」とも呼ばれます。

ラガード

　第5のグループは「ラガード」、日本語で「遅滞者」。全体の16%です。保守的で、世の中の動きにも関心が薄く、新製品がごく一般的なものになるまで採用しません。なかには一生涯、採用しない人も……。

　もっとも、すべての新製品がここまで来られるわけではありません。なかには、途中で深い「亀裂」に落ちてしまうものも（☞P.269）。

製品ライフサイクル

プロダクト・ライフサイクル、PLC

　新製品としての普及を終えた製品は、既存製品としての道を歩みます。製品にも、人間の**ライフサイクル**（☞P.53）と同じような、「**製品ライフサイクル**」があるのです。「イノベーションのベルカーブ」は縦軸に販売数を取りましたが、製品ライフサイクルは売上げと利益の推移を取り、**導入期、成長期、成熟期、衰退期**の4つに分けます。

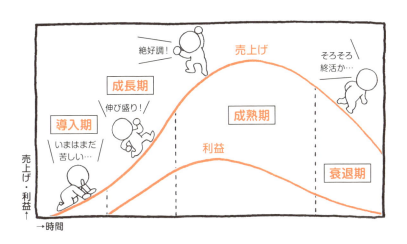

　ヒット商品でも、製品ライフサイクルは3年といわれます。見方によっては短い時間ですが、ライフサイクルのどの時期にあるかで戦略を変えることが必要です。導入期の赤字をもちこたえる財務戦略、成長期の需要急拡大に対応する生産戦略などが重要になります。そして、何よりも重要なのが、時期に対応した「製品戦略」です。

導入期

製品が市場に導入された当初の「**導入期**」は、売上げはゆっくりとしか伸びません。一方で販売促進（販促）に費用がかかるため、利益はマイナスか、あってもわずかです。

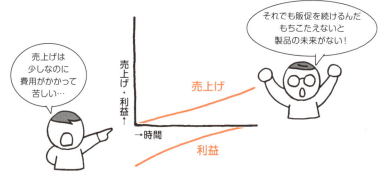

製品戦略としては、赤字でも販促を続けること。認知度を上げるための広告や、流通向けの指導などは欠かせません。

成長期

力のある製品は、「**成長期**」になると急速に売上げが伸びます。利益も大幅に改善するでしょう。購買層も広がりますが、一方でそれに気づいた他社から競合製品も出てきます。

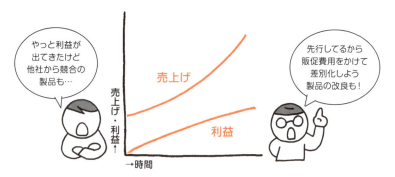

競合他社に対抗するために、引き続き販促費用をかけることが必要です。製品を改良して、消費者の選択肢を広げることも重要です。

成熟期

「**成熟期**」には、市場に製品がある程度行き渡り、売上げの成長率は鈍ります。利益は安定するか、競合他社との競争によって減少するはずです。成熟期は、導入期や成長期よりも長く続きます。

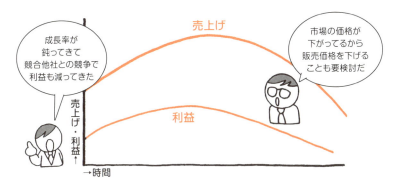

買換え需要中心の時期なので、販売価格を下げるなどの対応も必要です。製品の新しい用途を提案できれば、成熟期を延ばせます。

衰退期

「**衰退期**」には、消費者の嗜好の変化や、競合品との競争激化、**代替品**（☞P.85）の登場などにより、売上げは低下し、利益も減少します。市場から撤退する他社も出てきて、残った企業も判断を迫られます。

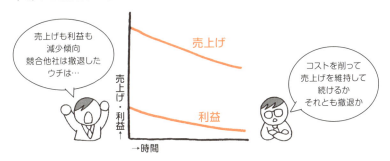

販促などのコストを減らす一方で、売上げの維持をはかって続けるか、撤退して新製品に切り換えるかなどの決断が求められます。

マーチャンダイジング

「マーチャンダイジング」は、流通や小売業で「品揃え（仕入れ・在庫）」という意味でよく使われます。品揃えを考える際は、深さ・幅・一貫性という3つの次元でとらえます。

製品ラインの数 / 幅 / 一貫性 / 製品ライン間の関連性 / バリエーションの数 / 深さ

5つの適正

一方、マーチャンダイジングの定義として有名なのが「5つの適正」です。つまり、マーチャンダイジングは品揃えだけでなく、どのように販売するかや、価格の決定まで含まれるということです。

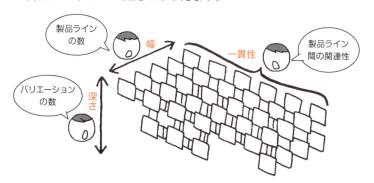

マーチャンダイジングとは…
適正な商品またはサービスを、
適正な場所で、
適正な時期に、
適正な数量を、
適正な価格で、
マーケティングすることに関する諸計画である

価格決定までするのか

これは以前のアメリカ・マーケティング協会の定義なんだ

その意味では、メーカーの製品戦略に対応する、販売業の「商品戦略」がマーチャンダイジング、と考えてよいでしょう。

ABC分析

重点分析、パレート分析

　製品や原材料の在庫管理などに使われる手法に「**ABC分析（重点分析、パレート分析）**」があります。売上高から在庫をABCのクラスに分類し、重要なものは重点管理、そうでないものはそれなりの管理とすることで、在庫管理の手間とコストを合理的に配分します。売上高累積構成比を示すグラフで考えると理解しやすいでしょう。

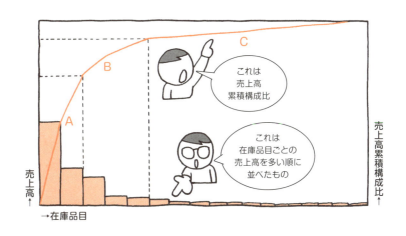

　上の例では、売上高累積構成比で70％を占める品目をA、90％までをB、それ以外をCとしています。そしてAは重点管理、Cは手間とコストを省いた在庫管理、Bは中間的な管理とすることで、在庫管理にかかる手間とコストを合理的に削減するわけです。

前ページの下のイラストで話しているとおりです。上のグラフを見ると、数としては全体の20％の品目で、累積売上高の80％を占めていることがわかります。つまり、在庫品目の20％をきちんと管理すれば、売上高の80％はきちんと管理できるということです。この考え方を推し進めると……。

パレートの法則

　ＡＢＣ分析でわかるような数字のカラクリを発見したのは、19世紀イタリアの経済学者**ヴィルフレド・パレート**さんです。パレートさんが国民所得について調査したところ、「人口の20％が、富の80％を所有している」ことを発見しました。これが有名な「**パレートの法則**」で、「**20対80の法則**（または80対20の法則）」とも呼ばれています。現在では下図のようにさまざまな分野で応用されています。

製品の20％が、売上げの80％を占める

顧客の20％が、利益の80％を生み出す

部品の20％が、故障の80％の原因

費やした時間の20％が、仕事の成果の80％を決めている

Chapter

価格戦略
の用語

プライシング

価格設定

　商品やサービスの価格を決めることを「**プライシング（価格設定）**」といいます。プライシングにあたって最初に重要なのは、価格を決める目的を明確にすることです。

〈例1〉 **業績不振で存続が危ぶまれている企業の場合**

　この場合は、価格設定の目的を企業の生き残りとすべきです。コストにしっかり利幅をのせて、確実に利益をあげる価格設定が必要です。

〈例2〉 **就任したばかりで実績をあげたい経営者の場合**

　経常利益を目的にするのはアリです。価格と売上げの変化を予測して、経常利益が最大になる価格に決めます。しかし、短期的な業績を重視し過ぎると、長期的な利益を失う結果になりかねません。

〈例3〉 **高品質で業界のリーダーをめざす企業の場合**

　実はこれもアリです。まず製品の品質を優先し、そのためにかかるコストをまかなえる価格に決めます。当然、安売りもしません。
　以上のほか、価格設定の目的として代表的なものには、右ページのようなものがあります。

市場浸透価格設定

　市場シェアをとることを目的とした価格設定が、「**市場浸透価格設定**」です。市場に浸透するために、価格はコストと同じか、コスト以下にします。競合他社は、この低価格についてこられません。

　どうやって利益をあげるかというと、市場シェアをとった後の大量生産によるコスト減です。コストが価格以下になれば利益が出ます。

上澄み吸収価格設定

　市場浸透価格設定とは反対に、最初から利益をあげることを目的にするのが「**上澄み吸収価格設定**」です。比較的高い価格を付けて、初期の段階で開発費などを回収してしまいます。

　では、競合他社が低価格で参入してきたら？　そのときは、値下げして対抗します。初期の段階で開発費などを回収しているので、値下げしても、ある程度の利益が出るのです。

需要曲線

消費者がどれくらい価格に敏感かでも、価格の設定は違ってきます。それぞれの価格帯で消費者の需要がどれだけ増減するかを調べると、「**需要曲線**」をつくることが可能です。

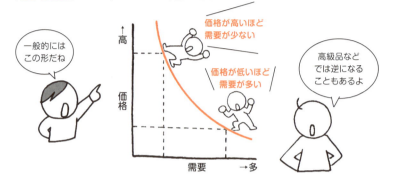

需要曲線は、一般的には右下がりですが、高級品などでは高いほど良い品物と考えて売れる——右上がりになることがあります。

価格弾力性

需要曲線は、価格の変化に需要がどれだけ敏感かで形が変わります。需要が大きく変化する場合は「**価格弾力性（価格弾性）が大きい**」、逆に変化が小さいときは「価格弾力性が小さい」といいます。

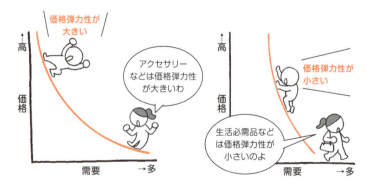

前ページの市場浸透価格設定は、価格弾力性が大きい場合に、上澄み吸収価格設定は、価格弾力性が小さい場合に有効な価格設定です。

マークアップ価格設定

　最も基本的な価格設定の方法は、製品にかかるコストに、売り手が期待する利益を乗せて価格を決める、「マークアップ価格設定」でしょう。マークアップとは、利幅のことです。

　一見、理屈が通っていますが、消費者の需要や競合製品などを無視して価格は決められません。他の価格設定方法も検討するべきです。

ターゲット・リターン価格設定

　コストだけでなく、製品の開発費や設備の投資額を含めて、価格を決める方法が「ターゲット・リターン価格設定」です。ターゲット・リターンとは、投資額に対して期待する収益のことです。

　この方法は、需要や競合製品を考慮しない点が問題です。また、実際の販売数量が予測と変わると、期待収益が得られないことも……。

知覚価値価格設定

売り手側のコストや投資額ではなく、買い手が商品やサービスに感じる価値——**顧客知覚価値**（☞P.44）を調査・分析して、価格を決める方法が「**知覚価値価格設定**」です。

調査の結果が、コスト以下だった場合はどうするかって？　顧客知覚価値は、いろいろな方法で高めることができるのです（☞P.45）。

バリュー価格設定

商品やサービスの品質は下げずに、価格のほうを思い切り低く設定して消費者を引きつける方法が、「**バリュー価格設定**」です。スーパーの**プライベート・ブランド**（☞P.182）などがわかりやすい例です。

品質を下げずに低価格にするわけですから、抜本的なコスト削減が必要になります。これにはいくつかのタイプがあります（☞P.162）。

PSM分析

　ここで寄り道をして、知覚価値価格設定に必要な**顧客知覚価値**を、どうやって調べるのか見てみましょう。「**PSM（Price Sensitivity Measurement）分析**」は、消費者が商品やサービスに対して感じる4つの価格を知ることができる調査・分析の手法です。そのためにはまず、消費者に商品やサービスを説明して、次の4つの質問をします。

　この質問を多数繰り返し、それぞれの回答の累計のパーセンテージを計算して、下図のようなグラフにします。すると、4本の線の交点に、4つの価格があらわれます。

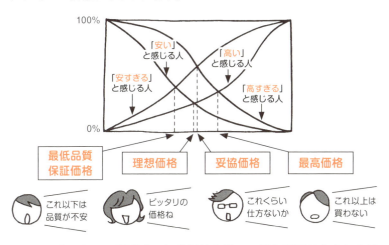

　このようにして、消費者の知覚価値を調べ、最も需要が多くなる価格を設定します。

エブリデー・ロー・プライシング

今度は、バリュー価格設定のタイプについて見てみましょう。たとえば、小売レベルでおこなわれるのが「**エブリデー・ロー・プライシング**」。特売はほとんどしない代わり、つねに他より低価格にします。

スーパーの西友が「エブリデー・ロー・プライス」のキャンペーンをしましたが、実はこれ、ちゃんとしたマーケティング用語です。

ハイ・ロー・プライシング

ふだんは普通の価格ですが、特別な期間に限って「エブリデー・ロー・プライシング」よりも安い価格を付けるのが、「**ハイ・ロー・プライシング**」です。おなじみの、特売セールですね。

これは古典的な方法ですが、消費者を引きつける力があります。そのため、小売店は2つのバリュー価格設定を組み合わせています。

現行レート価格設定

　価格設定の5つめの方法は、「**現行レート価格設定**」。競合他社を基準にして価格を決めます。日用品など差別化がむずかしいものは同じ価格にして、**プライス・リーダー**（☞P.170）よりも少し安くする、といった具合です。

　商品やサービスのコスト計算ができない場合も、現行レート価格設定を用います。他社がその価格でやってこられた実績があるからです。

オークション価格設定

　インターネットの普及で、オークション方式の価格設定も一般的になりました。「**オークション価格設定**」には、売り手は在庫処分や中古品販売に利用でき、買い手は安く商品やサービスが入手できる（こともある）というメリットがあります。

　ネットオークションのほか、ビジネス市場でおこなわれる「一般競争入札」などもオークション価格設定の一種です。

価格適合

　価格は、1つに決めなくてはならないものではありません。企業は、地域や市場、購入の時期や数量などによって価格を変えるものです。いろいろな要因により価格を変動させることを「**価格適合**」といいます。

地理的価格設定

　価格適合の代表的な例は「**地理的価格設定**」です。輸出をしている企業にとって、相手国の状況によって価格を変えるのは当然のことです。国内でも、輸送距離の長い地域に対しては価格を変えたりします。

　もちろん、輸送コストは売り手が負担して、同じ価格にする方法もアリです。そのほうが消費者も買いやすく、たくさん売れそうですね。

価格割引

　現金払いの顧客、大量購入の顧客などに対しては、逆に価格を下げる、「**価格割引（ディスカウント）**」をする場合があります。現金払いは売り手に資金面でのメリットがあり、大量購入は人件費などコスト面でのメリットがあるからです。下図のような種類の割引があります。

　価格割引は、販売促進の方法としても効果的ですが、慎重におこなわないと利益を減らす結果になります。現金払いや大量購入で浮くコスト以上に割引してしまうと、結局は損になるからです。割引は、利益を減らす価格適合の方法だということを忘れずに。

販促型価格設定

販売促進のために価格を変える（下げる）のが、「**販促型価格設定**」です。代表的なのはセールやキャンペーンの「特別価格」でしょう。これは販促型の中でも「**特別催事価格設定**」といいます。

セールの特別価格のほかにも、右上のような、価格を変えず、実質的に価格を下げる販促型価格設定があります。

ロスリーダー価格設定

販促型価格設定の代表選手が「**ロスリーダー価格設定**」。いわゆる「目玉商品」です。ロスは損失のことで、この商品自体は採算割れの赤字になりますが、その代わりに目玉商品を目あてに集まったお客が……。

つまり、目玉商品で集客し、その顧客に利益率の高い他の商品も購入してもらうことで、トータルの採算を確保する価格設定です。

差別型価格設定

顧客や製品、場所などに応じて価格を変えるのが「**差別型価格設定**」です。たとえばコーラは、自販機とファストフード店では価格が変わりますが、お客はどちらも納得して買ってくれるものです。

このような差別型価格設定は、コーラのほか、顧客によって変える映画館などの料金、時期によって変える航空券などがあります。

価格ライン

製品ラインや**製品ミックス**（☞P.143）で考えるときは、たとえば「**価格ライン（プライス・ライン）**」という価格設定方法により、普及品・中級品・高級品といったランクごとに、一定の価格を決めます。

3段階に分けた場合、売上げの5割は中央になるというのが定説です。そこで、利益率の高い商品を中央に置けば、利益もあがります。

キャプティブ製品価格設定

　製品ミックスの価格設定方法に「**キャプティブ製品価格設定**」があります。キャプティブとは「人質」などの意味。たとえば、インクカートリッジに対するプリンターなどのことです。

　つまり、インクカートリッジからの利益が見込めるので、プリンター本体はその分、価格を安くできるという価格設定です。

2段階価格設定

　一方、サービスの分野で多いのが「**2段階価格設定**」。固定の基本料金と、使用量に応じて変わる利用料金の、2段階に分けるものです。スマホの利用プランなどでおなじみですね。

　利用料金で利益を確保するようにしたうえで、サービスに加入しやすくするため、基本料金はできるだけ低く抑えたいものです。

心理的価格設定

　価格設定方法の最後は、消費者の心理を読みましょう、というお話。「心理的価格設定」は体系的に整理されているわけではありませんが、一般的には下図のようなものがよくあげられます。

端数価格

98円、1万9,800円などにすると、安いイメージを感じる。末尾は9ではなく8にすることが多い。食品、日用品など

名声価格

価格が品質の目安と考えられているので、高い価格にすると商品の価値をアピールできる。宝石、美術品、化粧品など

慣習価格

商品やサービスの価格が慣習的に一定のため、その価格が当然と思われている。ガム、のどあめ、缶飲料など

段階価格

価格ライン（☞P.167）のこと。商品やサービスを選びやすくして、消費者の心理的負担を軽くする。飲食、衣料品など

均一価格

どの商品やサービスも同じ価格にすることにより、全体的に安いと感じる。100円ショップ、○○円均一セールなど

差別価格

高いS席料金で高級感を感じたり、割安のオフシーズン価格でお得感を感じる。劇場、ツアー旅行など

サブスクリプション

近年、音楽配信サービスや動画配信サービスを中心に増えているのが「**サブスクリプション**」。1曲、1動画の価格がいくらでなく、定額で一定期間の利用権が得られるサービスです。

最近では、服やバッグ、外食、美容室なども定額サービスが出てきています。

プライス・リーダー

どのような価格設定方法を選んでも、無視できないのが業界のリーダーの価格です。シェアでトップの企業が決めた価格は、業界の標準となることが多く、そのような企業を「**プライス・リーダー**」と呼びます。

価格設定の方法にはいろいろありますが、同時に、このようなさまざまな要素も考慮して、価格を決めなければならないのです。

Chapter 8

チャネル戦略
の用語

チャネル

「チャネル」とは、何かが流れる経路のこと。テレビの「チャンネル」も、映像や音声の信号が流れるからそう呼ぶのです。マーケティングでは、一般的に3つのチャネルを考えます。下図のように「コミュニケーション・チャネル」「流通チャネル」「販売チャネル」の3つです。

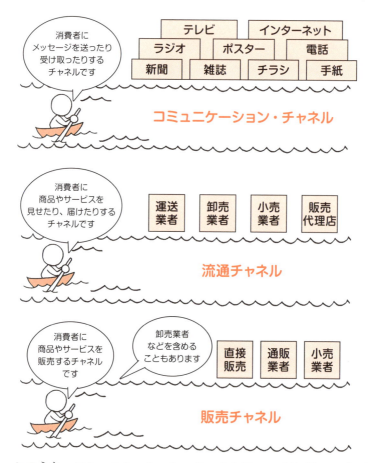

このうち、コミュニケーション・チャネルについてはChapter9で見るので（☞P.191）、この章では流通チャネルと販売チャネルを通して、チャネル戦略を見てみましょう。

流通チャネル

「流通チャネル」は、なぜ必要なのでしょうか。下図を見てください。もしも、卸売や小売などの流通業者がいなかったら、メーカーはそれぞれ自分で商品やサービスを消費者に届けなければなりません。流通経路は数が多く、複雑なものになります。

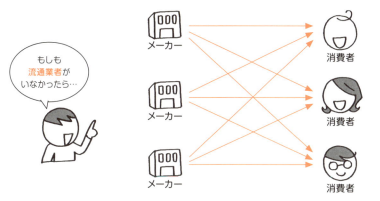

ここに流通業者が1社入るだけで、流通経路は一気にスッキリしたものになるのです。

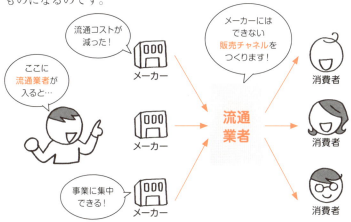

このように、流通業者の存在により、メーカーは流通コストの負担が減る、事業に集中できる、などのメリットがあります。
　また、メーカーにはできないような販売チャネルも、流通を専門とする業者ならつくれるのです。

プッシュ戦略

　どんな流通チャネルを使うかによって、マーケティング戦略は影響を受けます。たとえば、チャネルに応じて「**プッシュ戦略**」と「**プル戦略**」に、どれくらい力を注ぐか変わってくるものです。
　「**プッシュ戦略**」では、メーカーが流通業者に働きかけ、消費者に買ってもらえるように仕向けます。

　メーカーは、自社の販売部隊を動かして流通業者にプロモーションを仕掛け、プッシュされた流通業者は自分たちもプロモーションして消費者にプッシュします。プッシュ戦略は、**ブランド・ロイヤルティ**（☞P.76）が低い場合や、商品やサービスの選択が店舗でおこなわれる場合などに適するとされます。

プル戦略

一方、「プル戦略」は、広告や消費者に向けたプロモーションを、メーカーが直接おこなって、消費者が流通業者に注文を出すように仕向けるものです。消費者の注文を受けた流通業者は、メーカーに注文を出すことになり、プッシュ戦略とは逆の流れですが、やはり商品やサービスが売れることになります。

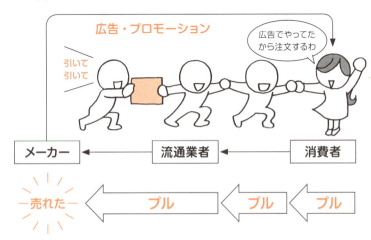

プル戦略は、プッシュ戦略とは逆に、ブランド・ロイヤルティが高い場合や、消費者が店舗に行く前に、買う商品やサービスを決めている場合などに有効とされます。

多くの企業は、プッシュ戦略とプル戦略の両方を組み合わせていますが、チャネルに応じて、どちらに重点をおくかが変わります。

マーケティング・チャネル

「マーケティング・チャネル」は、P.172の3つのチャネル全体をさす場合と、流通チャネルだけをさす場合があります。

流通チャネルのことをいう場合に、マーケティング・チャネルの「長さ」を決めるのが、間に入る流通業者の「数」です。

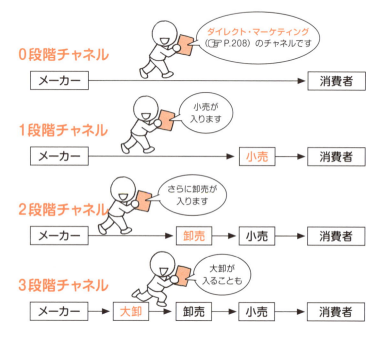

このほか、メーカーがいわゆる「販社」——販売会社をつくり、既存の卸売業者に代わって小売業者に卸すというチャネルもあります。

チャネルの段階数が多く、長さが長いほど、メーカーは顧客の情報を得にくくなり、チャネル全体のコントロールもむずかしくなります。

マーケティング・チャネルの長さとともに「幅」——卸売業者などの「数」を決めなければなりません。第1の選択肢は、きびしく限定すること。これを「排他的流通」といいます。

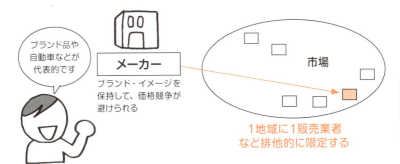

第2の選択肢は、商品やサービスの扱いを希望する流通業者の中から、数社を選んで取引をすることです。「選択的流通」といいます。

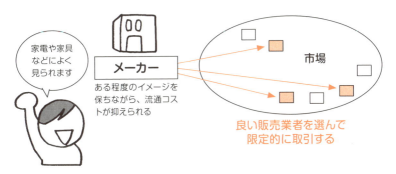

そして第3の選択肢では、できるだけ多くのお店に商品やサービスを置いてもらうことをめざします。「開放的流通」といいます。

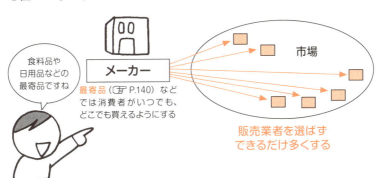

垂直的マーケティング・システム

VMS

　従来のマーケティング・チャネルでは、メーカーと流通各社の間でしばしば利害の衝突が起こります。各社はそれぞれ独立した企業であり、たとえチャネル全体として不利益になっても、自社の利益を最優先するからです。そこで出てきたのが「**垂直的マーケティング・システム（VMS：Vertical Marketing System**）の考え方。システムとして働こう、というものです。

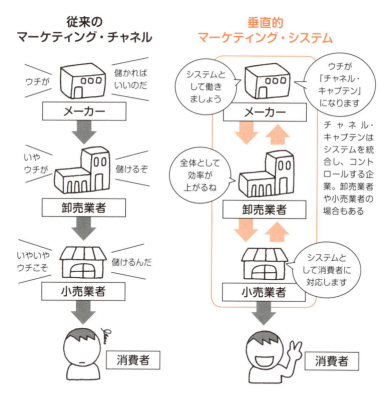

　VMSでは、メーカーから小売業者までの縦の流れが1つのシステムとして機能し、利害の衝突を避けます。一方で、システムとしての規模と、それによる対外的な交渉力、重複するサービスの一本化などによって、システムのメンバーに利益をもたらすのです。

水平的マーケティング・システム

一方、関連のない企業が、市場を開拓するためにマーケティング・チャネルを統合するのが、「水平的マーケティング・システム」です。衣料品と家電のメーカーが共同で店舗を運営したり、コンビニに銀行ＡＴＭを置いたりする例があります。

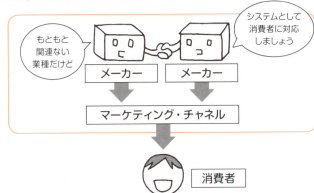

マルチチャネル・マーケティング・システム

さらに、ターゲットとする消費者が複数いるなら、複数のマーケティング・チャネルを使おうという考え方も出てきます。これが「マルチチャネル・マーケティング・システム」です。１つの企業が、焼肉とドーナツのチェーンを運営したりするのが一例です。

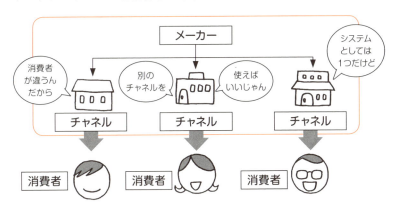

サプライ・チェーン・マネジメント

SCM

　チャネルは、より広い範囲に広がっていきます。これまではメーカーから始まっていたチャネルを、もっと早い段階から始めようというのです。「**サプライ・チェーン**」の考え方では、部品の供給業者、さらにその原材料の供給業者まで視野に入れます。右ページの図のように垂直的マーケティング・システムと比べてみると違いがわかります。

　チャネルをサプライ・チェーンととらえる経営手法──「**サプライ・チェーン・マネジメント（SCM：Supply Chain Management）**」によって、各企業は待ち時間の短縮や在庫の縮小、設備稼働率の向上など、コスト削減と経営効率化がはかれます。さらにSCMは、消費者まで巻きこみます。たとえば、商品のパソコンの仕様を消費者に指定してもらったりします。

　これは「**BTO（Built To Order）**」という販売方式です。BTOは、サプライ・チェーン・マネジメントの代表的な成功例といわれています。

BTOに限らず、SCMの運用にはITを活用した情報システムが欠かせません。その情報システムも「SCMシステム」と呼ぶことがあります。

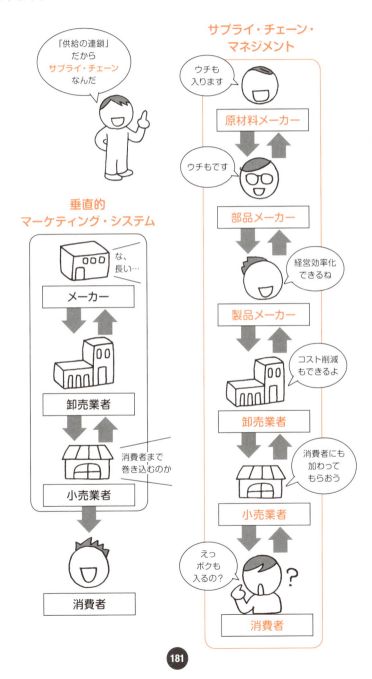

プライベート・ブランド

PB

　マーケティング・チャネルの小売の段階で、大きなトレンドになっているのが「**プライベート・ブランド（PB）**」です。卸売業者や小売業者が開発、販売するブランドで、大手スーパーがこぞって売り出している「〇〇バリュ」などがおなじみでしょう。品質は大手メーカーのものに劣らないことも多く、一方で価格は低く抑えられています。

　PBは、自社商品のため利益率が高く、他店との差別化にもなるので、目立つ棚に置くなどして積極的に販売されます。また、**エブリデー・ロー・プライシング**（☞P.162）戦略をとる際などにはPBが大きな柱になります。

ナショナル・ブランド

　PBに対して、大手メーカーの商品を「**ナショナル・ブランド（NB）**」と呼びます。NBの商品は、広告などで認知度が高いことが多く、全国のお店で購入できる点が強みです。特定の商品については、消費者の**ブランド・ロイヤルティ**（☞P.76）が高いこともあります。

ロジスティクス

戦略的物流

「ロジスティクス」は、もともと軍事用語で、日本語では「兵站（へいたん）」。作戦計画に従って兵器や兵員、物資などを調達し、前線に補給するまでの全活動のことです。この考え方が企業経営にとり入れられて、原材料の調達から製造、販売までのモノの流れを管理する活動を「ロジスティクス（**戦略的物流**）」と呼ぶようになっています。

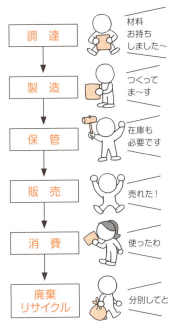

企業が扱うモノの流れは、大ざっぱに分けると左のようになりますが、「ロジスティクス」はこの全体を最適化しようとするものです。ですから単なる物流とは異なり、強いて呼ぶときは「戦略的物流」などといいます

また、最適化のためには各段階でさまざまな活動が必要です。「ロジスティクス」は、需要の予測、在庫の管理、受注の処理、アフターサービス、返品の処理、廃棄物の処理とリサイクル、といった要素まで含むのです。なかでも、下の4つは重要なポイントになります

Chapter 8　チャネル戦略の用語

マルチ・チャネル

販売チャネル（☞ P.172）を複数、用意すること。リアル店舗での販売と EC サイトに記した電話番号での注文、EC サイトでフォームに入力しての注文など。それらのチャネルを統合管理すると、クロス・チャネルになる。

クロス・チャネル

マルチ・チャネルの注文管理や在庫管理、顧客管理などを統合管理すること。在庫の偏在による売り損じや不良在庫など、マルチ・チャネルで発生しやすい問題を改善できる。顧客がチャネルの違いを意識せずに購入できるようにすると、オムニ・チャネル（☞ P.215）。

チャネル・ミックス

顧客へのアプローチ手段を組み合わせて使うマーケティング施策。この場合のチャネルは、顧客へのコミュニケーション・チャネル。ダイレクトメールだけ、電話だけといったアプローチでなく、ダイレクトメールを送り、顧客が見たタイミングで電話をかけるといった組み合わせをおこなうと、成約率などが高くなることが知られている。

Chapter

コミュニケーション戦略の用語

マーケティング・コミュニケーション

　広い意味での「**マーケティング・コミュニケーション**」は、消費者にメッセージを伝えること。そのため**４つのＰ**（☞ P.22）すべてがコミュニケーション手段になります。マーケティングに携わる人は、あらゆる手段でメッセージを伝えることを考えましょう。

　一方、狭い意味での「**マーケティング・コミュニケーション**」は、４つめのＰ――プロモーション（販売促進）をさします。**４Ｃ**（☞ P.27）の４つめのＣですね。ここではコトラー先生（☞ P.20）があげる、６つのコミュニケーション方法を紹介します。

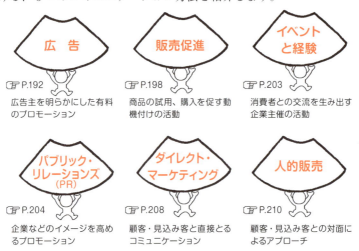

　このうち、基本となるのが広告、販売促進、ＰＲ、人的販売で、場合によっては「**クチコミ**」（☞ P.268）を加えることもあります。

コミュニケーション・ミックス

プロモーション・ミックス

　前のページに示したコミュニケーション方法は、円弧のプレートの中に書かれていましたね。カンがいい人は気づいたでしょうが、ここでも重要なのがミックス、「**コミュニケーション・ミックス（または プロモーション・ミックス）**」です。

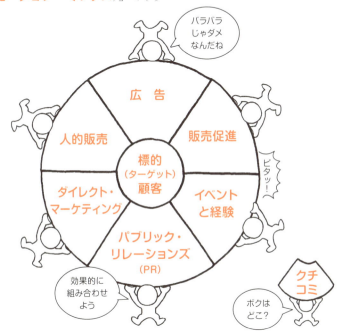

　マーケティング・ミックス（☞P.28）と同じで、それぞれがバラバラではダメ。効果的に組み合わせるのがコミュニケーション・ミックスというものです。

メッセージ戦略

　コミュニケーションで良い反応を得るには、「何を」「どのように」「誰から」伝えるかが重要です。そのうち「何を」伝えるかを決めるのが「メッセージ戦略」。商品やサービスに直接関連する品質やデザイン、価格といったものをアピールする方法と、直接関連しない流行や人気の高さ、長い伝統などをアピールする方法があります。

メッセージのアピール方法①　　メッセージのアピール方法②

クリエイティブ戦略

　「どのように」伝えるかを決めるのは「クリエイティブ戦略」です。メッセージを具体的に、どのコミュニケーション方法で、どうアピールするかということですね。

　こちらも、商品やサービスの情報を詳しく伝える方法と、直接的な情報ではなく、別のイメージで伝える方法があります。

クリエイティブのアピール方法①　　クリエイティブのアピール方法②

メッセージの発信源

最後に、「誰から」伝えるかも大事です。テレビ広告などで有名人、それもイメージの良い有名人などが、よく起用されているのはそのためです。「メッセージの発信源」には信頼性が大切ですが、それには専門知識が高い「専門度」、ウソをいわないと感じられる「信用度」、それに「好感度」の3つが重要といわれています。

ハロー効果

そこで覚えておきたいのが「ハロー効果（後光効果、光背効果）」。ハローは太陽や月にかかるカサのこと、比喩的に聖像などの後光、光背のことです。光り輝く部分があると、目をくらまされて他の部分の評価が歪められるという心理的な現象のことです。たとえば、カッコいい有名人が広告に出ていると、商品も良く見えてしまいますよね。

ブランド・コミュニケーション

『ブランド・コミュニケーションの理論と実際』という本を著した**ジョン・ロシター**氏と**ラリー・パーシー**氏によると、マーケティング・コミュニケーションによって次のような効果が得られます。

カテゴリー・ニーズ

いままでなかった商品やサービスでも、そのカテゴリーが自分にとって必要なものだと認識してもらえる

ブランド認知

商品やサービスのカテゴリーの中で、消費者が自社のブランドを識別できるようになる

ブランド態度

自社のブランドに対して、消費者に好意的な思いを抱いてもらい、好意的な態度をとるようになる

ブランド購買意図

好意的な態度から一歩進んで、自社のブランドを買ってみようと考えてもらえる

ブランド購買促進

競合商品のプロモーションなどをはねのけて、購買意図を実際の購買につなげられる

コミュニケーション・チャネル

メッセージを実際に伝えるのが「コミュニケーション・チャネル」です（☞P.172）。コミュニケーション・チャネルにはさまざまなものがありますが、大きく分けると次の2つになります。

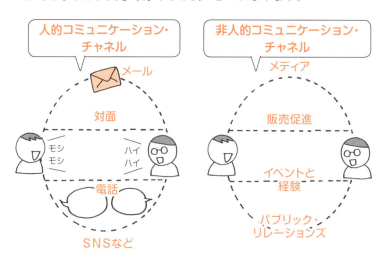

一般的には、コミュニケーション・チャネルとして人的チャネルのほうが、非人的チャネルより効果的です。しかし、非人的チャネルを人的チャネルのきっかけにできることもあるので、使い方次第です。

広告
AD

　それでは、コミュニケーションの方法を1つずつ見ていきましょう。まずは「**広告（AD：Advertising）**」です。広告は、長期的に商品やサービスのイメージを高めるのにも使えるし、すぐに売上げに結びつけたいときにも使える、便利なコミュニケーションの方法です。

　テレビCMなど、広範囲の視聴者に届けることもできるし、雑誌広告など、ある程度、読者を絞って届けることもできます。テレビCMには多額の費用がかかりますが、ラジオCMなら比較的安くすむなど、かかるコストもいろいろです。いずれにしても、広告をうつ──「出稿」する目的によって、次のタイプがあります。

消費者に認知されていない新製品や、新機能などを認識してもらう

消費者を説得して、好意→選好→確信と導き、購買につなげる

消費者に思い起こさせて（リマインダー）、リピートを促す

購買を検討している消費者に、これが正しい選択と確信をもたせる

5つのM

　広告を出稿するために何を検討し、何を決めなければならないか、それをまとめたものに広告の「**5つのM**」と呼ばれる図があります。これを見るだけで、広告の全体像がわかるスグレモノです。

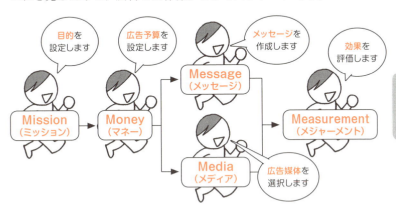

　ミッション（広告の目的）は左ページで見たようなこと。メッセージ（メッセージの作成）とメディア（媒体の選択）は後で見るとして、ここでは**マネー（広告予算）**について見ておきましょう。予算の設定については、次の5つの要素を考えることが必要とされます。

メディア

広告媒体

5つのMのうち「**Media（メディア）**」とは、出稿する「**広告媒体**」を選択することです。広告媒体は大きく分けて「**マス媒体**」「**SP媒体**」「**ネット媒体**」の3つがあります。

近年はネット媒体の伸びが著しいですが、それでもなお、日本で使われる広告費の半分近くをマス媒体が占めています。

ここでは「**マス媒体**」について見てみましょう。マス媒体――「**マスメディア**」は、「**マスコミ（マスコミュニケーション）4媒体**」とも呼ばれ、「放送媒体」の**テレビ**、**ラジオ**と、「印刷媒体」の**新聞**、**雑誌**です。それぞれ、次のような種類と特長があります。

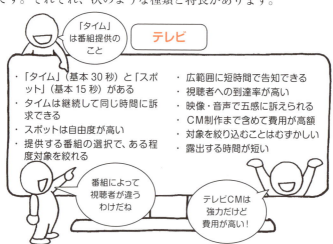

ラジオ

- テレビ同様に「タイム」と「スポット」がある
- ただし20秒単位が多い
- 地域を選択して地域密着型の広告ができる
- CM制作を含めて費用が比較的安く済む

> 「タイム」と「スポット」のメリットはテレビと同じだ

> ラジオCMは安くできそう

新聞

これは広告のサイズ

- 日本の新聞は全15段で、全面広告、10段、7段、5段、半5段、3段六つ組み（雑誌の広告）、3段八つ組み（単行本の広告）などがある
- 記事下広告、記事中、題字下などがある

- 信頼性が高いので広告も信頼を得やすい
- 連絡先や価格など文字情報を正確に伝えるのに適している
- 全国紙、ブロック紙（複数県をまたがる）、地方紙の選択で規模と地域が選べる

こっちは紙面の中の位置

> 新聞広告って信用できそう

雑誌

これは広告のサイズ

- 1ページ、見開き（2ページ）、観音、タテ1/2、ヨコ1/2などがある
- 表2（オモテ表紙の裏ページ）、表3（ウラ表紙の裏ページ）、表4（ウラ表紙）、目次対向、記事対向などがある

- 雑誌により読者層が異なるのでセグメンテーション（☞ P.67）ができる
- ライフスタイル別の選択なども可能
- そのため雑誌の選択が重要になる

こっちは雑誌の中の位置

Chapter 9 コミュニケーション戦略の用語

リーチ

　メディアの選択にあたっては、費用対効果を考えなければなりません。費用の高いメディアが、その広告にとって必ずしも効果も高いとは限らないからです。効果をはかる尺度はいろいろありますが、まずは「リーチ」。そのメディアによって、期間内にメッセージが到達する人の数です。広告の到達率といわれ、パーセントであらわします。

フリークエンシー

　「フリークエンシー」は「頻度」の意味。そのメディアによって、期間内にメッセージが到達する回数のことです。通常は、1人あたりの回数の平均値をとります。

　リーチが、率で広告の到達範囲を示すのに対し、回数で到達の深さを示そうという尺度です。一般的には多いほうがいいと考えられますが、あまり何度も見せられると嫌がられることも…。

インパクト

おもしろくない広告を何度も見せられるのはウンザリ。そこで、メッセージの質が問題になります。これが「**インパクト**」。特定のメディアを通じたメッセージの質的価値です。ちなみに、○○テレビ、××新聞といった特定のメディアをさすときは、メディアではなく「**ビークル**」（乗物の意味）と呼ぶことがあります。

GRP

費用対効果を見るとき、実はインパクトはあまり利用されません。よく使われるのがリーチとフリークエンシーを掛け合わせた「**GRP (Gross Rating Point)**」。「**累積到達率**」といい、ターゲットに到達する広告の累積量です。テレビCMでも「延べ視聴率」として広告の効果をはかるほか、「目標：ＧＲＰ○％」などと決めて、広告の出稿量を計算する際にも利用されます。

GRP＝リーチ×フリークエンシー
GRP＝ 50%× 20 回＝ 1,000%

販売促進

販促、セールス・プロモーション、ＳＰ

　広告に続く、２つめのコミュニケーション方法は「**販売促進（販促）**」。英語では「**セールス・プロモーション**」、略して「**ＳＰ**」ともいいます。ＳＰ活動とＳＰ広告がありますが、ＳＰ活動は右ページの図のようなさまざまな方法で、商品やサービスの試用を勧めたり、より多く購入してもらおうとするものです。購入に対するインセンティブ――動機付けを目的にしています。

　消費者向けにおこなわれる販売促進は、よく見かけるのでおなじみでしょう。しかし実は、**流通チャネル**（☞ P.173）**向け**や、**社内の営業担当者向け**の販売促進もおこなわれています。

ＳＰ広告

　マス媒体、ネット媒体以外の媒体を使う広告は、「ＳＰ広告」と総称されます。「セールス・プロモーション」という名前が付いていますが、販売促進に限らず、企業のイメージアップなどを目的にしたＳＰ広告もあります。ＳＰ広告は種類が多彩です。まずは「ＰＯＰ広告」。

| ＰＯＰ（ポップ）広告 | 「Point Of Purchase」の略、「購買時点広告」の意味で、店頭や店内の広告全般。販売員に代わって説明し、購買を促す効果がある |

| プライスＰＯＰ | 価格を強調し、「セール品」「お買い得品」「広告の品」などと表示して購入を促す |

こんな手がきのや

こんなのがＰＯＰ広告

広告の品
98円

　自宅に届くＳＰ広告としては、「ダイレクト・メール（ＤＭ）」や「折り込み広告」などがあります。基本は印刷媒体ですが、ファックスやＥメールを使うものもあります。

| ダイレクト・メール（ＤＭ） | ☞ P.209 |

郵送ＤＭ	郵便で送る
ファックスＤＭ	ファックスで送る
ＥメールＤＭ	Ｅメールで送る
ダイレクト・ハンド	手渡しする

「ダイレクト・メール」ばかりだなあ

じゃあはい「ダイレクト・ハンド」

折り込み広告	新聞に折り込む
折り込みチラシ	1枚ものの折り込み広告
フライヤー	店頭などに置いて客に持ち帰ってもらう。大きさはＡ４程度まで

昔は飛行機などからまいていたので「フライヤー」といいます

街頭などで手にするＳＰ広告には「**街頭配布**」、駅構内などで入手できるＳＰ広告には「**フリーペーパー**」などがあります。基本は印刷媒体ですが、ポケットティッシュなどの**ノベルティ**（☞P.199）を付けることもあります。

　ＳＰ広告にはこのほか、交通機関の車内、車体、駅などを使う「**交通広告**」や、屋外に看板や貼り紙を掲出する「**屋外広告**」があります。

デジタルサイネージ

　ＳＰ広告の媒体として急速に普及しているのが「**デジタルサイネージ**」。ディスプレイなどの電子的な表示機器を使い、映像情報を発信する電子看板、電子掲示板です。ビル壁面の大型ビジョンから、小売店の棚の小型ディスプレイまで、さまざまな場所で広告を流しています。

　なかには、街頭の大型ビジョンなど屋外広告として扱われるものや、電車内のディスプレイなど交通広告として扱われるものもあります。

交通広告

ＳＰ広告の中でも、「交通広告」は種類の多いものです。交通機関の種類も多いですが、それぞれ車体、車内があり、さらに車内でも場所によって違う種類の広告になるからです。

屋外広告

「屋外広告」もいろいろです。球場や競技場など、人が集まる場所に掲げる広告は、とくに「特定施設内広告」といいます。

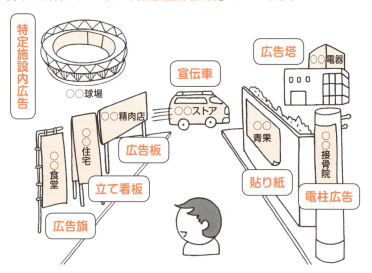

イベントと経験

近年、テレビCMなどの**到達率**（☞P.196）が低下する中で、コミュニケーション方法を、より消費者に近づける「**イベントと経験**」にシフトする企業が増えています。下図のように、スポーツの大会や文化的な催しなどを、開催したり協賛するのが「イベント」、流行の工場見学ツアーを企画したり、社会活動に協賛したりするのが「経験」です。

企業が自らイベントを開催するのは「**イベント・プロモーション**」、イベントに資金を提供するのは「**イベント・スポンサーシップ**」といいます。いずれも、企業がターゲットとする顧客のライフスタイルに合わせて、ブランドや企業の認知度・好感度を高め、一流企業や社会に貢献する企業のイメージを形づくれるなどの効果があります。

パブリック・リレーションズ

PR、広報

　コミュニケーション方法の4つめは「**パブリック・リレーションズ(Public Relations)**」、略して「**PR**」、日本語で「**広報**」です。パブリック（公衆）と良好な関係を築くための活動で、広く報じる、報じてもらうためにおこなうのが「**報道対策**」「**コーポレート・コミュニケーション**」「**パブリシティ**」の3つの活動です。

　「**コーポレート・コミュニケーション**」は、広報誌を発行したり、社会貢献活動をすること。**イベント・プロモーション**や**スポンサーシップ**（☞P.203）も、PRの一環としておこなわれることがあります。

　一方「**パブリシティ**」は、新製品の情報などを提供して、記事にしてもらうこと。いわば、無料の広告を出すようなものです。

プレス・リリース

さまざまなＰＲ活動のスタートになるのが「プレス・リリース」。「ニュース・リリース」「報道発表資料」ともいいます。下で解説する「プレス・カンファレンス」も、開催の通知はプレス・リリースで配信されますし、プレス・リリースが記事になれば「パブリシティ」（☞P.206）になります。

配信は通常、印刷物やファックス、メール、ウェブなどでおこなわれます。配信先はマスコミの報道機関が中心ですが、近年はネット上で情報発信をおこなうネット・メディアなどにも配信されています。

プレス・カンファレンス

「プレス・カンファレンス」は「記者発表会」などと呼ばれます。報道関係者に集まってもらい、企業側のプレゼンと資料の配布、記者会見（質疑応答）などがおこなわれる発表会です。発表の内容が記事になればパブリシティ（☞P.206）ですし、プレス・カンファレンスから個別メディアの取材、単独記者会見などにつながる場合もあります。

パブリシティ

「パブリシティ（略して、パブ）」とは、製品や企業についての情報をメディアに提供し、記事やニュースにしてもらうことです。プレス・リリースから直接、記事やニュースになることもありますが、プレス・カンファレンスや追加の取材が入る場合もあります。

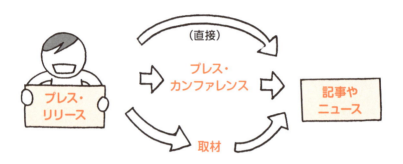

パブリシティには、広告と同じような効果が見込めますが、ときには広告以上の効果があります。広告と違い、記事やニュースを発信するのがメディアだからです。消費者にとっては、広告と、記事やニュースとでは、信頼性が格段に違います。

そして、広告との決定的な違いは、無料であること。ただし、無料ですから、記事やニュースにする決定権はメディア側にあります。また、好意的にとりあげてくれる保証もありません。ですから、簡単にいくことはまれで、企業側には適切で詳細な情報提供が求められます。

　「ペイド・パブリシティ」と呼ばれる、有料のものもありますが、これは広告の一種です。印刷媒体では、広告代理店などが記事の体裁で広告をつくる「記事広告」などもあります。雑誌編集部などに有料で制作してもらう場合は「編集タイアップ」と呼ぶことも。

ダイレクト・マーケティング

ダイレクト・オーダー・マーケティング

「**ダイレクト・マーケティング**」は、流通業者を間に入れず、直接販売のチャネルで商品やサービスを届けるコミュニケーションの方法です（☞ P.176）。

昔からあるチャネルには、右ページのようなものがあります。その最大の特徴は、消費者からの反応が注文という形で返ってくること。「**ダイレクト・オーダー・マーケティング**」ともいいます。

今日では、**ビッグデータ**（☞ P.272）の活用や、ＳＮＳ、スマートフォンなど新しいコミュニケーション・チャネルの普及で、ダイレクト・マーケティングも大きく進化しています。顧客一人ひとりに、最も適切なコミュニケーション・チャネルで、それぞれ違った最適のメッセージを発信することが可能になっているのです。

ダイレクト・メール

「ダイレクト・メール」は、マスメディア（☞P.194）に比べると、ひとりあたりの到達コストは高くなりますが、選び抜かれた顧客リストがあれば、購入の確率もずっと高くなります。

カタログ・マーケティング

カタログを見て注文してもらうのが「カタログ・マーケティング」。カタログは印刷物を送ったり、ＤＶＤやウェブ上で見てもらいます。

テレ・マーケティング

「テレ・マーケティング」は、コールセンターで顧客からの電話を受ける場合と、コールセンターから顧客に電話をかける場合があります。

人的販売

　営業担当者などが顧客と対面し、購買や契約成立まで関わるコミュニケーション方法が「人的販売」です。他の方法と違って、①直接的で双方向性のあるコミュニケーションができる、②話を聞いた後では断りにくくなる、③顧客の強い信頼を得られる（場合がある）、などの特徴があります。訪問するタイプの人的販売では、次のようなプロセスを踏むのが一般的です。

　このような特徴があるので、人的販売は購買行動の終わりのほうの段階、**AIDMAの法則**（☞P.58）でいえば「Action（行動）」を起こすのに効果的なコミュニケーションとなります。マーケティングが生まれる以前からある、おそらく最古のマーケティング・コミュニケーションです。最後のシメは、やはりヒト、ということでしょうか。

統合型マーケティング・コミュニケーション
IMC

　マーケティング・コミュニケーションはバラバラではなく、消費者の視点で統合されるべきだ、というのが「**統合型マーケティング・コミュニケーション（IMC：Integrated Marketing Commnicasions）**」の考え方。「ＩＭＣの父」と呼ばれるアメリカ・ノースウェスタン大学の**ドン・シュルツ**教授たちが提唱しました。たとえば、次のようなコミュニケーションの流れが考えられるでしょう。

　要するに、1つのコミュニケーションで顧客にアプローチするよりも、**人的コミュニケーション・チャネル**と、**非人的コミュニケーション・チャネル**（☞ P.191）を組み合わせ、複数のコミュニケーションを使って、複数の段階でアプローチしたほうが強力だということです。コミュニケーション戦略は、これに尽きるといっても過言ではありません。

用語解説

CI
「Corporate Identity」の略。企業の文化や独自性を積極的に発信し、社会と共有する企業戦略。企業文化をつくりあげ、それをあらわすイメージやデザイン、メッセージを通して、企業の存在価値を高めていくもの。社名、ブランド名、ロゴ、コーポレート・カラー、スローガン、コンセプト・メッセージなどを、コミュニケーション・チャネル（☞P.191）で統一的に使用することで、企業のイメージを形成していく。

IR
「Investor Relations」の略。企業が株主などの投資家に対しておこなう広報活動。決算発表の説明会やアニュアル・レポート（年次報告書）の配布などがおこなわれるが、現在では企業のサイトにIRのページを設けて、広く一般向けに公開するのが通常。PR（☞P.204）との違いは、投資家の判断材料とするために、企業にとって不利な事実も正確に開示することにある。

インストア・プロモーション
「ISP」とも略す。インストア・マーチャンダイジングの柱の１つ。デモンストレーション、サンプル、クーポン、キャッシュ・バック、ノベルティ（☞P.199）、POP広告、フライヤー（☞P.200）などを活用して告知活動をおこなう。

インストア・マーチャンダイジング
「ISM」とも略す。小売業の店内で顧客の購買をうながすため、陳列する商品と商品構成を科学的・統計的に検討する手法。大きく分けて、インストア・プロモーションとスペース・マネジメント（☞P.288）がある。

デジタル・マーケティングの用語

ジェフリー・ムーア
(1946年〜)

デジタル・マーケティング

「ウェブ・マーケティング」という用語が定着して久しいですが、いまは「デジタル・マーケティング」といういい方が一般的です。

ウェブ・マーケティングやメール・マーケティングも包含して、あらゆるデジタル・データを駆使したマーケティング・ミックスをしようということです。

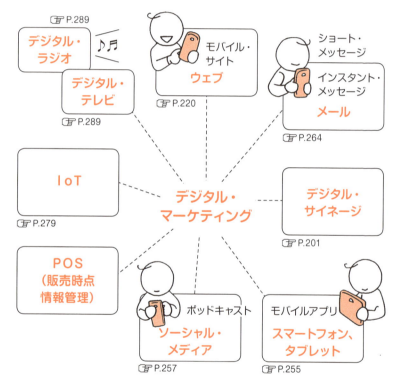

デジタル・マーケティングは、デジタルの強みを活かしてデータをさまざまな方法で計測、分析し、リアルタイムでマーケティングの効果を把握できるのが特長です。

以下この章では「ウェブ」「メール」「スマートフォン」「ソーシャル・メディア」などのマーケティング用語を見ていきましょう。

オムニ・チャネル

デジタル・マーケティングに関連して、知っておきたいのが「**オムニ・チャネル**」。「オムニ」とは「すべて」の意味です。リアル店舗はリアル店舗、ネットはネットではなく、すべての販売チャネルで、いつでもどこでも同じように、買い物ができるようにします。

ショールーミング

オムニ・チャネルが注目されたキッカケの1つが「**ショールーミング**」。リアル店舗をショールームにして商品を選び、購入は**ECサイト**（☞ P.279）で、という消費者の購買行動です。オムニ・チャネルでつながっていれば、リアル店舗でショールーミングした顧客を、自店のECサイトに誘導するようなこともできます。

トリプル・メディア

デジタル・マーケティングでは、さまざまなメディアを駆使します。そのメディア戦略を考えるときに利用されるのが「**トリプル・メディア**」。メディアを3つに分類して考えるフレームワーク（枠組み）です。日本アドバタイザーズ協会Ｗｅｂ広告研究会の2010年の宣言で注目を集めました。

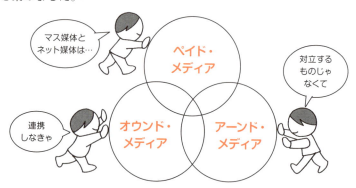

ペイド・メディア

従来、**マス媒体**（☞ P.194）に対立するものと考えられていたネット媒体――デジタル・メディアですが、トリプル・メディアの考え方ではマス媒体も「**ペイド・メディア**」の1つ。
「ペイド」つまり「費用」を支払って利用するメディアには、ほかにさまざまなネット広告もあります。

オウンド・メディア

　トリプル・メディアの考え方では、3つのメディアの連携がマーケティング・コミュニケーションです。そこで2つめのトリプル・メディアは、企業自らが所有（オウンド）し、情報発信するメディアである「**オウンド・メディア**」。自社のウェブ・サイトやSNS、メール・マガジンなど、企業自身が自由にコントロールできます。

アーンド・メディア

　3つめのトリプル・メディアは「**アーンド・メディア**」。「アーンド」とは「信頼を得る」といった意味。企業ブログやSNS、テレビ、新聞、雑誌、Webメディアなどへのパブリシティが中心で、好意的に扱われれば、信用や良い評判につながります。ただし、パブリシティはメディア側に主導権があるので、思いどおりにはなりません。

シェアード・メディア

現在では、トリプル・メディアに加えて「第4のメディア」として「**シェアード・メディア**」が多くなっています。「シェア」つまり「共有する」メディアです。このメディアでは個人ブログやSNS、オフラインのクチコミなど、消費者側が情報を発信します。

PESOメディア

トリプル・メディアの後を継ぐ、といわれているのが「**PESO（ペソ）メディア**」。シェアード・メディアが加わって、4つに増えた分類です。もっとも、「S（Shared）」が加わっても、いろいろな分類のメディアが連携することが大切、という点は変わりません。

マーケティング・オートメーション

デジタル・マーケティングは、さまざまなメディアを駆使するとともに、デジタル技術を最大限に活用することが特徴です。その1つが「**マーケティング・オートメーション（MA）**」。「MAツール」というソフトウェアを導入して「マーケティングの自動化」をおこないます。

SFA

商談から受注までをヒトが行う会社では、ホットリードのリストを営業部隊に渡すところまでがMAツールの仕事です。その後の営業部隊に対する支援は「**SFA（セールス・フォース・オートメーション）**」＝「営業支援の自動化」システム・ツールがおこないます。

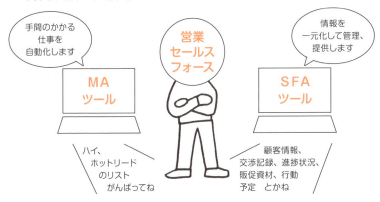

ウェブ・マーケティング

　それでは、個別のデジタル・メディアのマーケティングを見ていきましょう。まずは**ウェブ**。「**ウェブ・マーケティング**」では、3つのプロセスを考える必要があります。リアル店舗にたとえていえば、集客、店内の導線、そしてリピーターになってもらうことです。それぞれ、下図のような要素があります。

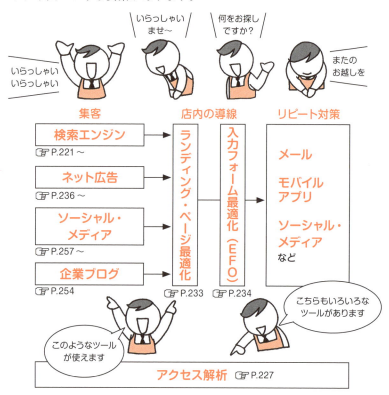

　3つのプロセスに共通して欠かせないのが、来店客の調査、分析、すなわち「**アクセス解析**」（☞P.227）です。デジタル・マーケティングの特長は、リアルタイムで効果を把握できること。データを解析して、ただちに活かさない手はありません。次ページから、順番にそれぞれの内容を見ていきましょう。

サーチエンジン・マーケティング

SEM

　集客——サイトにユーザーを流入させる方法の１つめは、**検索エンジン**を活用すること。「**サーチエンジン・マーケティング（SEM：Search Engine Marketing）**」の主な対象は、「**ＳＥＯ**」（☞ P.222）と「**検索連動型広告**」です。**ランディング・ページ最適化**（☞ P.233）や**アクセス解析**（☞ P.227）まで含めていうこともありますが、そうなるとウェブ・マーケティングとほとんど同義語ですね。

自然検索

　Googleなどでフツーに「ググる」ことを、「**自然検索（ナチュラル・リサーチ、オーガニック・リサーチ）**」と呼ぶことがあります。わざわざこう呼ぶのは、**リスティング広告**（☞ P.238）も検索の一種だからです。広告主のサイトを検索して関連するページを表示しているわけで、「**ペイド・リスティング**」とも呼ばれます。

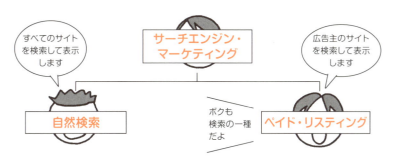

SEO

そこで、おなじみの「SEO（Search Engine Optimization）」、「**検索エンジン最適化**」。Google などである語句を検索したときに、上位に表示されるようにする対策ですね。上位に表示されるほど、ユーザーがアクセスする可能性が高くなります。ただ、現在は**検索エンジンのアルゴリズム**（☞ P.224）の改良により、コソクな手は通用しません。最善のSEOは、良いコンテンツをつくることに尽きます。

検索連動型広告

サーチエンジン・マーケティングのもう1つの柱が「**検索連動型広告（キーワード連動型広告）**」。ある語句を検索したときに、まっ先に表示される「広告」の部分です。出稿するときは、検索キーワードと、クリックしたときに表示する自分のウェブ・ページを指定します。ほとんどは**クリック課金型**（☞ P.246）です。

検索クエリ

　ユーザーが検索するときに入力する語句やフレーズを「**検索クエリ**」といいます。「クエリ」とは英語で「質問、問い合わせ」の意味。
　サーチエンジン・マーケティングでは、検索クエリを下図のように3つに分類して考えるのが一般的です。

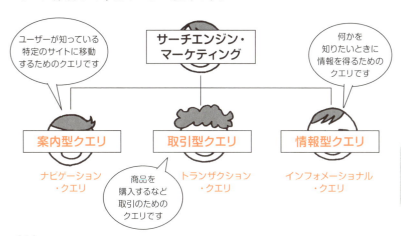

検索キーワード

　サーチエンジン・マーケティングでは、「検索クエリ」と「**検索キーワード**」はきびしく区別されています。ユーザーが入力するのが「検索クエリ」で、検索連動型広告のために広告主が指定するのが「**検索キーワード**」です。そのため、サーチエンジン・マーケティングの関係者だと、左ページの例は次のようないい方になります。

検索エンジンのアルゴリズム

かつてのＳＥＯ手法が通用しなくなっているのは、「**検索エンジンのアルゴリズム**」が改良され続けているからです。「アルゴリズム」とは基準や手順、考え方のことで、検索結果を表示する順位を決めるもの。その改良によって、小手先のＳＥＯ手法を使ったウェブ・ページは、順位を下げたり、悪質なものは表示されなくなっています。

コンテンツ・マーケティング

そこで重視されるようになったのが「**コンテンツ・マーケティング**」。役に立つ、説得力あるコンテンツを配信し続けてユーザーを引きつける手法です。

コンテンツは、**企業ブログ**（☞P.254）やソーシャル・メディア、動画やＰＤＦなどさまざまですが、いずれにしても良いコンテンツを配信し続ければ検索上位に表示される可能性が高くなります。

インバウンド・マーケティング

近年、コンテンツ・マーケティングから「インバウンド・マーケティング」への流れが主流になっています。インバウンドは訪日外国人旅行者のことではなく、外から内に向かうといった意味。コンテンツ・マーケティングと似ていますが、インバウンド・マーケティングでは顧客のリピーター化までを視野に入れ、その段階ではメールマガジンやオンライン・セミナーなども利用するところが違います。

アウトバウンド・マーケティング

では結局、コンテンツ・マーケティングやインバウンド・マーケティングは、どこが違うのでしょうか。対義語である「アウトバウンド・マーケティング」は、広告やダイレクトメールでこちらから「知らせていく」マーケティングです。それに対してインバウンド・マーケティングなどは、消費者に「見つけてもらう」ところが違います。

MEO

　サーチエンジン・マーケティングの話から、アウトバウンド・マーケティングまで来てしまいましたが、話をＳＥＯ（☞P.222）つながりに戻して、「MEO」という施策があることも知っておいてください。「地図（マップ）エンジン最適化」のことです。検索エンジンで「地名　業種」などと検索すると、いちばん上に地図、その下に店舗の情報が表示されますが、ここに表示されようというのがＭＥＯです。

KPI

　ＳＥＯにしろＭＥＯにしろ、デジタル・マーケティングでは結果がすぐに、目に見えるのがいいところです。そこでマーケティング目標も数値（指標）で設定します。それが「KPI（Key Parformance Indicator ＝重要業績評価指標）」です。

　ＫＰＩは、ＫＧＩ（☞P.280）の中間目標ともいえるものですが、アクセス解析により得られる指標のなかから、適切なものを選びます。

アクセス解析

サイトを訪れる人や、訪れた人のサイト内での行動を分析するのが「**アクセス解析**」です。訪問者の数を増やしたり、サイトで訪問者にしてほしい行動（**コンバージョン** ☞P.232）を増やすためにおこないます。下図のように、サイトを訪れた人はさまざまな行動をとるので、その数や割合を分析します。

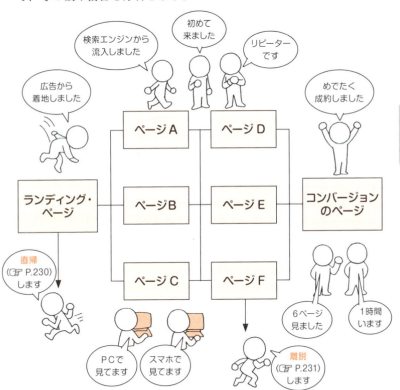

アクセス解析には、**Google アナリティクス**（☞P.235）などの「**アクセス解析ツール**」というソフトを使います。

アクセス解析ツールは、データの取得方法により「**サーバ・ログ型**」（☞P.287）「**パケット・キャプチャリング型**」（☞P.291）「**ウェブ・ビーコン型**」（☞P.283）の3種類です。

セッション

アクセス解析の最も基本的な指標が「**セッション(数)**」。いわゆる「アクセス数」です。「**訪問(数)**」ともいいます。最初の**ランディング・ページ**（☞P.233）から、見て回って、離脱するまでを「**1セッション**」と数えます。

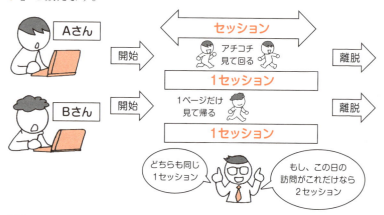

ユニーク・ユーザー

「**ユニーク・ユーザー（UU：Unique User）**」とは、「重複しないユーザー数」という意味。具体的にはブラウザの数で数えるので、同じ人が別のブラウザで閲覧すると、2人とカウントされます。

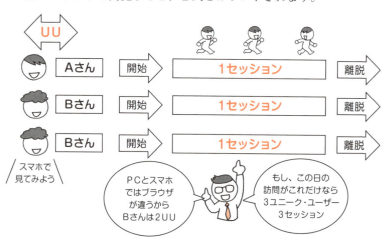

ページ・ビュー数

訪問者が何ページ見たかを示す数値が「ページ・ビュー数（**ＰＶ数：Page View**）」。サイト全体で何ページ見られたかを数える場合のほか、特定のページのＰＶ——何回見られたかを測る場合があります。

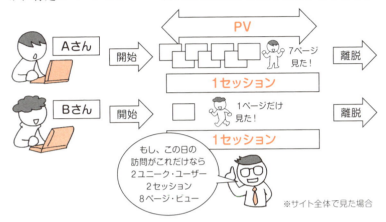

平均ページ・ビュー数

１回のセッションで、平均して何ＰＶあったかが「**平均ページ・ビュー数（平均ＰＶ数）**」。つまりＰＶをセッション数で割った値です。

一般的には、平均ＰＶ数が多いほどサイトが充実していて、いろいろ見られていることになります。

新規率

「新規」とは、初めてサイトを訪れること。その割合が「**新規率（新規セッション率）**」。「新規」の反対は「リピート」といいます。ひんぱんに購入する商品ではリピーターの割合が高いほうが良く、たまにしか購入しない商品では新規率が高いほうが良いでしょう。

直帰率

「直帰」とは、1ページだけ見て離脱すること。その割合が「**直帰率**」。どんなサイトでも一般的に40％程度の直帰率があるといわれますが、コンテンツが貧弱なページほど直帰率は高くなる傾向があります。

離脱率

「離脱」とは、そのページを最後に別のサイトに移ったり、ブラウザを閉じてサイトから離れること。その割合が「離脱率」です。コンバージョン（☞ P.232）のページは離脱率が高いほど良く、一般のページは低いほうが良いといえます。

平均滞在時間

セッション時間の平均値が「平均滞在時間（平均セッション時間）」。滞在時間が短いサイトは、欲しい情報がないか、情報量が少ないかのどちらか。ですから、ユーザーの滞在時間が長いほうが、欲しい情報がある、情報量の多いサイトです。

コンバージョン

「コンバージョン（ＣＶ：ConVersion）」とは、そのサイトが目標とする成果、「成約」のこと。下図のように、サイトによって違います。いずれにしても、目標とする成果ですから、その数は多いほうがいいに決まっています。

コンバージョン率

訪問数に対するコンバージョンの割合が「コンバージョン率（ＣＶＲ：ConVersion Rate）」、「成約率」です。要するに、訪問何回のうち、成約に至ったのは何件か、ということです。ＣＶＲをいかに高めるかは、アクセス解析をする重要な目的の１つです。

LPO

　検索エンジンや、広告のリンクから最初に表示されるページを、訪問者が着地するページ——「ランディング・ページ」といいます。これを訪問者にとって最適のものにして、購入、申込みなどサイトの目的（コンバージョン）の率を高める手法が「ＬＰＯ（Landing Page Optimization）」、「ランディング・ページ最適化」。最も基本的なのは、訪問者に目的のページにすぐにたどりついてもらえるようにすることです。

ランディング・ページ

　広告から流入するランディング・ページは、広告を出稿するときに広告主が設定できます。しかし、検索エンジンから流入するページは設定できず、サイト内のすべてのページがランディング・ページになる可能性があります。ＬＰＯの対象になるのは、広告から流入するランディング・ページのほうです。

EFO

　入力フォームを簡単にしてコンバージョン前の離脱を防ぐ手法が「**ＥＦＯ（Entry Form Optimization）**」、「**エントリー（入力）・フォーム最適化**」です。会員登録や商品購入の目的で訪問しても、入力のしかたが面倒だったり、わかりにくいために、途中でやめてしまう人が一定数いるそうです。入力項目をできる限り減らしたり、わかりやすい入力例の表示など、入力フォームの最適化でこれが防げます。

ＥＦＯができていない　　　　　**ＥＦＯができている**

もー！
入力項目多すぎっ
やめた！

途中まで
入力したのに

えーと
入力するのは
これだけか

簡単で
いいね

レコメンド

　ＬＰＯ、ＥＦＯと同様、**コンバージョン率**（☞P.232）を上げるのに欠かせない手法が「**レコメンド**」（または**レコメンデーション**、**リコメンド**）。ＥＣサイトなどで、顧客の好みに合わせて商品やサービスをオススメする手法です。昔の商店街などでは、店主がお客の好みを覚えていて商品をオススメしてくれたものですが、同じことをプログラムがしてくれます。

奥さん、これ
好きでしょ
今日は安いよ

あら、よく
覚えてるわね

購入履歴や
アンケートの答え、
類似する顧客の
購入品などから
絞り込んでいます

A／Bテスト

ウェブ・マーケティングで、さまざまな判断をするときにおこなうのが「A／Bテスト」。AとB、2つのパターンを実際につくって、テストしたうえで決める手法です。下図のように、いろいろなレベルでおこなわれます。

Google アナリティクス

アクセス解析をおこなうツールの代表格が「Google アナリティクス（Google Analytics）」。Googleが無料で提供する**ウェブ・ビーコン型**（☞P.283）のアクセス解析ツールです（モバイル・アプリ版は有料）。これまで紹介した指標のほか、下図のようなことができます。

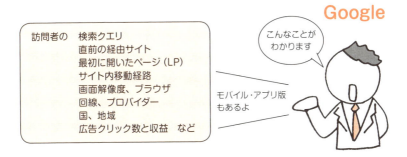

バナー広告

　サイトにユーザーの流入をはかる、重要な方法の1つが広告です。ここからは広告の種類を見ていきましょう。まずは表示形式の違いで見て、画像を表示するのが「バナー広告」。「純広告」ともいいます。

テキスト広告

　「テキスト広告」は、リスティング広告（☞P.238）やメール広告（☞P.253）、メール・マガジン（☞P.265）に多い形式です。一般的に、クリックやタップをすると広告主のページが表示される広告見出し表示、広告主の名称、広告文の3つの要素で構成されています。

記事広告

ウェブ上の記事のような広告もあります。広告主とメディアがタイアップして、記事形式でつくり掲載するのが「記事広告」です。記事の制作費は、けっこう高額になることもあります。また、記事広告に誘導するために、別途、バナー広告などが必要になることもあります。

ネイティブ広告

記事広告のように、広告の枠でなく、コンテンツの中になじむように表示される広告を総称して「ネイティブ広告（タイアップ広告）」と呼びます。

動画広告

　通常のバナー広告などのように静止画像ではなく、動画を使用するのが「**動画広告**」です。「**インターネットCM**」ともいいます。動画広告など、データ量の多い技術を使うものを「**リッチ・メディア広告**」と総称します。文字どおり、リッチ——豊かな表現が可能です。

リスティング広告

　ここからは、配信方式の違いによる広告の種類です。まず、検索エンジンのGoogleやYahoo!が配信しているのが「**リスティング広告**」。一般的には**検索連動型広告**（☞P.222）をさすことが多いですが、**コンテンツ連動型広告**（☞P.240）も含まれます。それぞれ、検索結果やコンテンツの内容に連動して表示されるのが特徴です。

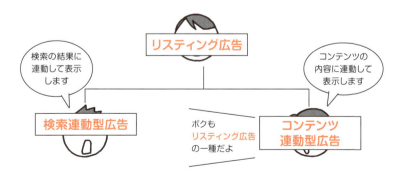

Google広告

　日本最大のリスティング広告提供サービスが「Google 広告（旧称 Google AdWords）」。検索連動型では Google 検索のほか、「Google 検索ネットワーク」を使って、さまざまな検索エンジンやポータルサイトに広告が配信されます。Google マップや Google ショッピング、YouTube なども配信先です。

Yahoo!広告・検索広告

　一方、日本第2のリスティング広告提供サービスが「Yahoo! 広告・検索広告（旧称 Yahoo! プロモーション広告）」。検索連動型の「Yahoo! ネットワークパートナー」では、Yahoo! JAPAN をはじめ、大手の検索エンジンやポータルサイトに広告が配信されます。

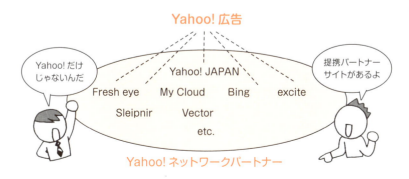

コンテンツ連動型広告

「**コンテンツ連動型広告**」は、ニュースやブログ、その他さまざまなサイトで、コンテンツの内容などと連動する広告です。コンテンツ連動型広告では、バナー広告、動画広告なども利用できます。もちろん、テキスト広告も利用可能です。

GDN

日本最大のコンテンツ連動型広告配信ネットワークが「**GDN（Google ディスプレイネットワーク）**」。Google と提携している 200 万のウェブ・サイトと 65 万のアプリで構成されているそうです。このほか、大手が運営するネットワークとして「**YDA（Yahoo! 広告・ディスプレイ広告）**」があります。

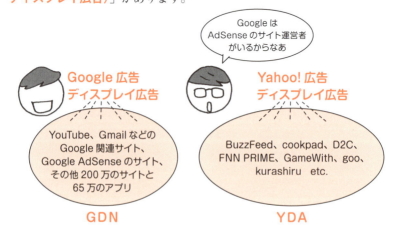

ディスプレイ広告

　ＧＤＮやＹＤＡの名前にもある「**ディスプレイ広告**」とは、ウェブ・サイトやアプリに置かれた広告枠に表示される広告の総称です。画像のほか、動画広告なども含まれます。ＧＤＮで「広告コード」と呼ばれるものを貼り付けると、広告が配信されるしくみです。

Google アドセンス

　同じネットワークでも Google アドワーズの広告を個人のウェブ・サイトに配信するネットワークが「**Google アドセンス（AdSense）**」。広告主向けではなく、サイト運営者向けの広告配信サービスです。個人のブログでも広告を貼って、反応があれば広告収入を得られます。

アドネットワーク広告

　ＧＤＮやＹＤＡのような広告配信ネットワークを「アドネットワーク」と呼び、これを通じて配信される広告を「**アドネットワーク広告**」といいます。アドネットワークが生まれる前は、広告主や広告代理店がサイトを１つずつ選んで、広告掲載を依頼していたのです。

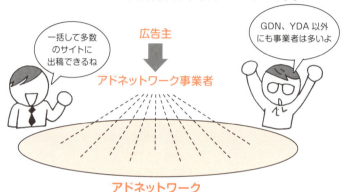

リターゲティング広告

　一度、自社のサイトを訪れたユーザーを、追いかけるようにして配信するのが「**リターゲティング広告**」。これもアドネットワークが可能にした技術です。ブラウザに情報を保存するcookie（クッキー）という技術と、アドネットワークのアドサーバーを利用して配信しています。「行動ターゲティング広告」（☞P.285）の一種です。

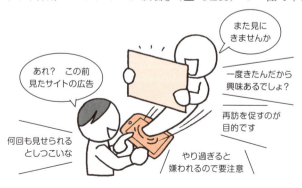

アドエクスチェンジ

　アドネットワークが、複数のメディアの広告枠を束ねて配信しているように、複数のメディアと、それにアドネットワークも束ねて配信するのが「アドエクスチェンジ」です。エクスチェンジ（取引所）の名が付いているのは、入札形式で広告枠と広告料金が決まるため。

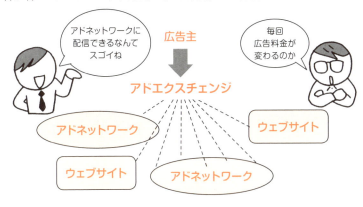

DSP

　アドエクスチェンジが、複数のアドネットワークを束ねて配信しているように、複数のアドエクスチェンジと、それにSSP（☞P.244）まで束ねて配信するのが「DSP（Demand-Side Platform）」。ネットワークというより、ツールのようなものとされています。

SSP

DSPは、広告枠を「要求する側のプラットフォーム（基盤）」といった意味ですが、広告枠を「供給する側の基盤」、すなわち「**SSP（Supply-Side Platform）**」もあります。SSPは、DSPと連携してアドエクスチェンジなどの広告枠を供給しているのです。

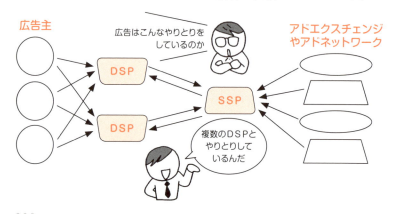

RTB

SSPとDSPは、どうやって広告枠や広告を選んでいるのでしょうか。実はそのつど（1広告枠ごとに）オークションをおこなっているのです。これにはSSPとDSPそれぞれで「**RTB（Real-Time Bidding）**」というシステムが使われています。

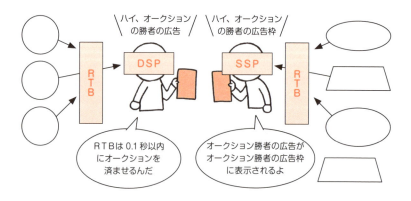

アドテクノロジー

これまで見てきたような、今日のデジタル広告を支えているのが「**アドテクノロジー**」です。文字どおりの意味は「広告の技術」ですが、とくに広告の配信技術などのことをいいます。「アドテク」「アドテック」と略していうこともあります。

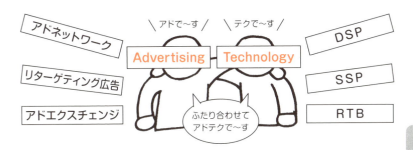

運用型広告

決まった広告枠に固定料金で掲載する旧来の広告と違い、アドテクノロジーを使った広告では、広告の担当者が状況に応じてリアルタイムに、広告料金（入札額）や広告コンテンツ、ターゲットの設定などを変えることができます。つまり、広告を「運用する」ことが可能です。このような広告を「**運用型広告**」といいます。

アフィリエイト広告

　課金方式——広告料金が発生する形態別の種類を見ていくと、まずは「アフィリエイト広告」。「成果報酬課金型広告」と呼ばれています。アフィリエイトでは、購入、申込み、資料請求、問い合わせなど、広告主が決めた成果が得られたときに料金が支払われます。

ＰＰＣ広告

　「ＰＰＣ（Pay Per Click）広告」は、クリックするごとに広告料金が発生する「クリック課金型広告」。ウェブ広告の課金方式としては現在の主流です。リスティング広告（☞P.238）はたいていこれで、ときにはリスティング広告＝ＰＰＣ広告の意味で使われます。

インプレッション課金型広告

　広告が表示された回数を「インプレッション」といいます。「**インプレッション課金型広告**」は、1回表示されたら1インプレッションで、その回数に応じて広告料金が決まります。主に**DSP広告**（☞P.243）で利用されています。

期間保証型広告

　一方、表示回数ではなく表示期間を決めて、その期間の掲載を保証するのが「**期間保証型広告**」。Yahoo! JAPANのホームページで、右側に表示される広告が有名です（1週間掲載）。保証型にはほかに、クリック保証型（☞P.285）、インプレッション保証型（☞P.283）もあります。

Facebook 広告

ウェブ広告とともに、SNS広告も目が離せません。代表的なのが「Facebook（☞ P.259）」の「Facebook 広告」です。

あ、広告が流れてきた

 ターゲットの絞り込みは
年齢、興味・関心、地域など3種類のオーディエンス選択ツールで絞り込めます

広告の掲載場所は
Facebook、Messenger、Audience Network のいずれか、またはすべてを選べます

広告のフォーマットは
6種類の多機能な広告フォーマットから選択できます

 広告の注文後は
広告を注文すると、広告はFacebook の広告オークションにかけられ、設定した予算に応じて適切なオーディエンスに配信されます

 広告の効果測定は
「広告マネージャ」にアクセスして、モニタリングや利用者の内訳表示、広告費用の確認などができます

X（旧 Twitter）広告

「X（旧 Twitter）（☞ P.260）」での「X（旧 Twitter）広告」としては、「プロモツイート」ができます。うまくいけば、「拡散」も期待できますね。

あ、広告が流れてきた

プロモアカウントもあるよ（☞ P.249）

 表示場所は
タイムライン、検索結果、ユーザーのプロフィールなどに表示されます

 ターゲティングは
キーワードなどでできます

 X Cards は
記事へのリンクに画像や記事のタイトルを表示させるX Cards が利用できます

 タイムラインでの表示場所は
X にアクセスしたとき上部に表示されます

 他のターゲティングは
フォロワーや地域、その他いろいろなターゲティングができます

 X Cards の種類は
デフォルトとなっているSummary Card のほか数種類の X Cards が利用できます

LINE公式アカウント

LINEには「**LINE 公式アカウント**」があります。また、X（旧Twitter）でも「**プロモアカウント**」の機能が利用可能です。

LINE 広告（☞ P.280）や
X プロモトレンド
もあるよ（☞ P.292）

あ、**公式アカウント**だ

メッセージ配信、タイムライン投稿、LINE チャット、リッチメニュー、ショップカードなどの機能があります

最も有名なのがプロモーションスタンプ。広告費を払ってユーザーにスタンプを提供できます

プロモアカウントとは
興味をもちそうなユーザーに、企業のアカウントをおすすめする機能です

フォロワー数を
プロモアカウントで増やすことが期待できます

表示場所は
タイムライン、おすすめユーザー、検索結果などに表示されます

YouTube 広告

そして近年、急速に広がっているのが動画広告です。なかでも「**YouTube 広告**」では、Google 広告（☞ P.239）とリンクさせて、YouTube に動画広告をアップロードすることができます。

Google 広告で設定できるよ

あ、広告が流れてきた

YouTube のインストリーム広告は
動画視聴前に流れる広告のことで、5秒流れるとユーザーがスキップできるようになります

ディスカバリー広告は
動画のサムネイルなどで表示され、クリックされると動画が流れます

バンパー広告は
動画の前後か再生中に6秒間流れ、ユーザーがスキップできません

YouTube 広告の目標は
「販売促進」「見込み顧客の獲得」「ウェブサイトのトラフィック」など6種類のなかから選択できます

CPA

　ネット広告では、費用対効果が重要です。費用対効果を測る指標を知っておきましょう。まずは「**CPA（Cost Per Action または Cost Per Acquisition）**」。**コンバージョン**――購入、申込みなど広告の目的（☞P.232）1件あたりの広告費用を示す値です。「**成約単価**」ともいいます。CPAが上がるということは、成約1件あたりの広告費用が増えるということなので、利益の減少につながります。

CPC

　一方、リスティング広告などの**PPC広告**（☞P.246）では、成果ではなく、クリックで広告費用が発生するので、費用対効果もクリック数で測ります。これが「**CPC（Cost Per Click）**」、「**クリック単価**」です。たとえば、5万円の広告費用でクリック課金型のバナー広告を出稿し、1万クリックあったとすると、CPCは5円となります。

CPM

インプレッション課金型（☞P.247）で使われる指標が「**CPM（Cost Per Mille）**」。「**インプレッション単価**」ともいいます。課金が1,000単位なので、CPMも1,000単位で計算します。

CTR

また、広告が表示されて、クリックされた回数の割合を示すのが、「**CTR（Click Through Rate）**」です。「**クリック率**」ともいいます。

CPO

広告が表示され、クリックされて、来店の予約があり、来店して購入までの費用を計算するのが「**CPO（Cost Per Order）**」、「**契約単価**」または「**注文獲得単価**」です。

CPO = 広告費用 / 購入人数

計算式はこう

要するにこういうこと

ある契約や注文を獲得するのにかかった広告費用

CPD

「CPD（Cost Per Duration）」は、広告料金の提示に使われる用語で、「その期間は広告掲載をします」という**期間保証型広告**（☞P.247）の料金です。こうした保証型広告には、「インプレッション保証型」「クリック保証型」などもあります。

この期間で○万円ではいかがでしょう

「Duration」は期間の意味です

ちょっと高いけど

うーんトップページだからしかたないか

※**期間保証型広告**は、サイトのトップページなど、アクセス数が多いページの広告枠で採用されていることが多い

CPE

「CPE（Cost Per Engagement）」は、1エンゲージメントあたりの広告費用（**エンゲージメント単価**）。エンゲージメントとは、たとえばX（旧Twitter）でのリツイートなどユーザーの行動のことです。ユーザーがその行動をとると、広告費用が発生します。

このほか、主な広告単価には下図のものがあります。

CPF
(Cost Per Fan)

ファン獲得単価
Facebookで「いいね！」ファンを1人獲得するのにかかった広告費用

CPI
(Cost Per Install)

インストール単価
スマートフォンなどのアプリインストール1回にかかった広告費用

CPV
(Cost Per View)

広告視聴単価
動画広告の再生1回にかかった広告費用

アドフラウド

どこの世界にも悪いことを考える人はいるもので、デジタル広告にも「アドフラウド」がいます。「froud」は詐欺のこと、つまり「広告詐欺」です。コンピュータ・プログラムなどを使って、実際にはなかったクリックやアプリのインストールを、あったように見せかけて広告料金をだまし取る手口などがあります。

メール広告

ウェブではなく、メールを使う広告が「メール広告」。大別すると、メール・マガジンに掲載するものと、登録会員などから見込み客を絞り込んで広告のメールを送るものがあります。ただ、ネット広告の種類が増えたことなどで、メール広告全体としては利用が減っています。

企業ブログ

ビジネス・ブログ

　企業のウェブ・サイトで、社員や役員が社外に向けて発信しているブログを「**企業ブログ**」とか「**ビジネス・ブログ**」といいます。広告のような費用はかかりませんが、これもユーザーの流入を促すツールです。ネットユーザーが何か検索をしたとき目にとまれば、まったく接点がなかった消費者とのファースト・コンタクトにもつながります。ブログの良いところは、古いものも削除せず、残せることです。

キュレーション

　インターネット上の情報を、人の目で選んで、まとめるのが「**キュレーション**」。ネット上の情報をまとめたものを「キュレーション・サービス」とか「キュレーション・メディア」と呼びます。要するに「○○まとめ」といった「**まとめサイト**」のことです。キュレーションを活用する例としては、飲食店情報を集めたサイトが、食品のキュレーション・サイトを運営する例などがあります。

モバイル・マーケティング

　デジタル・マーケティングのツールとしてはパソコン（ＰＣ）を抜き去ったスマートフォン。そのスマートフォンやタブレットなどの携帯端末を対象にするのが「**モバイル・マーケティング**」です。

　下図は、ＰＣとの違いから導き出されるマーケティングへの活用の例ですが、ＰＣのソフトとは異なるアプリ、ＰＣよりも親和性が高いＳＮＳ、位置情報の利用などが大きな特徴になっています。

　スマートフォンに限っていえばこのほかにも、通話の機能や、ショート・メッセージの機能を利用したマーケティングが可能です。

公式アプリ

「**公式アプリ（企業アプリ）**」と聞くと、SNSなどのそれが思い浮かびますが、企業が自社の公式アプリを提供する例も増えています。公式サイトと同様のウェブ・チラシやオンライン・ショップのほか、クーポンが使えたり、ポイントが貯まったりするアプリです。インストールが簡単な、スマートフォンのアプリならでは、といえます。

位置情報連動型広告

　スマートフォンのユーザーが検索を始めると、近くの店舗や施設などの広告を配信するのが「**位置情報連動型広告**」。位置情報の取得にはスマホ内蔵のGPSや、スマホのキャリアが提供する位置情報サービスなどを利用します。スマートフォンからの検索は、今後ますます増加する見込みで、最も注目されている広告手法の1つです。

SMM

「ソーシャル・メディア」とは、個人が情報を発信できるメディアの総称。これを使ったマーケティング手法が「**ソーシャル・メディア・マーケティング（SMM）**」です。

ソーシャル・メディアにはブログなども含まれますが、現在のSMMの中心はSNSになっています。理由はいうまでもなく、SNS利用者の広がりです。

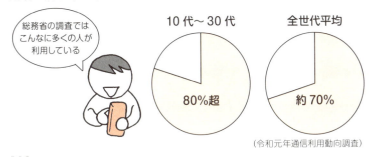

（令和元年通信利用動向調査）

SNSマーケティング

そこで現在では「**SNSマーケティング**」と呼ぶことが多くなっています。SNSマーケティングの中心は、各SNSにあるビジネス用のアカウントを運用することと、SNS広告の利用です。

SNS上では、ユーザーと良い関係を築くことに務めなければならないので、期待するコンバージョン（☞P.232）は自社のウェブ・サイトに誘導してから、という方法もあります。

モバイル・フレンドリー

そこで重要になるのが、ウェブ・ページのスマホ対応。ユーザーが見たいと思ったときに、いつでも見られることが大切です。Googleではそのために「モバイル・フレンドリー」のアルゴリズムを導入しています。下図のような点をチェックし、スマホで検索した場合に見やすいページは検索結果にラベルが付き、順位も上がるしくみです。

UGC

「UGC（User Generated Contents）」とは、ユーザーによって生成されたコンテンツの意味。企業がマーケティングに利用できるUGCは、都合良くできるわけもなく、利用にあたっては著作権などの問題も発生します。そこで、テーマを決めてSNS上で投稿を募集し、それをまとめるキュレーション（☞P.254）型と、投稿を競わせるコンテスト型などで活用するのが一般的です。

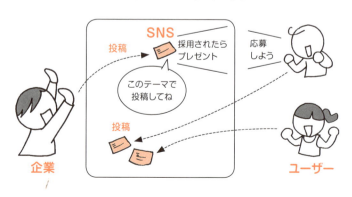

ハッシュ・タグ

「ハッシュ・タグ」とは、「#」マーク付きの検索文字列。これもSNSのマーケティングに活用できます。プレゼント・キャンペーンなどでハッシュ・タグを付けて応募してもらうと、投稿を収集しやすく、管理もしやすくなります。人気が高いハッシュ・タグなら、キャンペーン自体もユーザーの目にふれやすくなるでしょう。

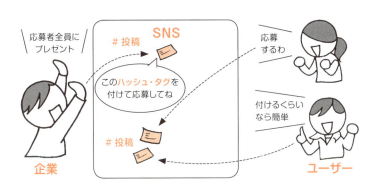

Facebook

ここからは各SNSの特長を見ていきます。まずは「Facebook」。実名利用のSNSで、幅広い年代にユーザーをもつのが特徴です。写真や動画などのリッチ・コンテンツも利用でき、長いテキストも可能なので、ウェブ・ページのような使い方もできます。広告は、比較的少ない予算で利用できるFacebook広告（P.248）です。

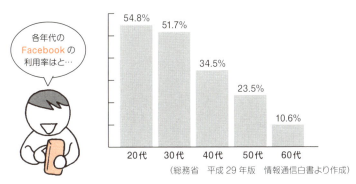

（総務省　平成29年版　情報通信白書より作成）

X（旧Twitter）

「X（旧Twitter）」は、ニックネームでも使えるSNS。日本語で140字以下の「**ツイート**」が、最大の特徴ですね。ユーザーは20代以下が中心で、高い利用率を誇ります。広告としては**プロモツイート**（☞P.248）が一般的ですが、おすすめユーザーなどに表示される、**プロモアカウント**（☞P.249）も利用可能です。

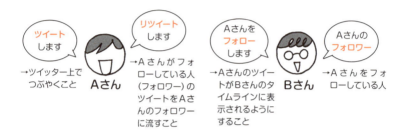

LINE

「LINE」は、トーク機能のメッセンジャー・アプリに加え、タイムラインへの投稿や、グループトークもできます。他のSNSに比べて若い世代のユーザーが多いのが特徴です。広告としては、メッセージ配信、タイムライン投稿、LINEチャット、スタンプ配布などもできる**公式アカウント**（☞P.249）が利用できます。

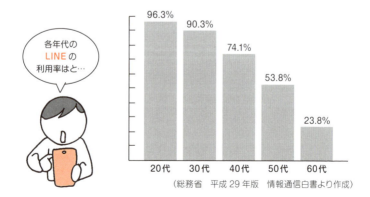

（総務省　平成29年版　情報通信白書より作成）

Instagram

「Instagram」は、画像共有のアプリ、SNS。アプリは写真を撮影し、「フィルター」と呼ばれる機能で加工もできます。動画も投稿可能です。共有は、FacebookやX(旧Twitter)でもできます。とくに、若い女性に大人気。Facebook社に買収されたためか、Instagram広告は Facebook 広告（☞ P.248）に良く似た形式になっています。Instagram 広告を出稿するのにも、Facebook 広告アカウントとFacebook ページが必要です。

YouTube

「YouTube」は、動画投稿のソーシャル・メディア。企業でも、製品の使い方や効果を示す動画、視聴者に人気のテレビCMなどを投稿するところが多くあります。YouTubeに動画を投稿して、広告にすることも可能です。有料ですが、他の動画の視聴前に再生されるものと、検索結果や再生中の動画の横に表示されるタイプがあります。

※継続的に投稿する人のことも「YouTuber」と呼びます

ソーシャル・リスニング

　SNS上でおこなわれている、日常的な会話や行動のデータを収集・分析するのが「**ソーシャル・リスニング**」です。ブランドの動向把握や、キャンペーンの反応を測定する際に役立ちます。

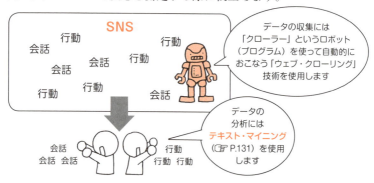

MROC

　「**MROC（Marketing Research Online Community：エムロック）**」はSNSではなく、ネット上にマーケティング専用のコミュニティをつくって参加者をリサーチする手法です。参加者は、特定の商品のユーザーや、特定の生活背景をもった人など、共通の要素をもった人を選びます。スマートフォンなどで、SNSと同じように会話をしてもらうなどして、新商品開発や新市場の開拓などに役立てます。

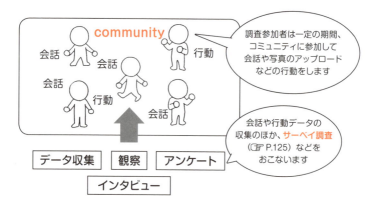

動画マーケティング

　デジタル・マーケティングで、急速に利用が進んでいるのが「動画」です。ある調査では、動画広告（☞P.238）に絞って見ると、2022年は前年比115%超の成長を見せているとか。こうした状況から「**動画マーケティング**」の重要性が増しています。

　しかし、動画広告だけが動画マーケティングではありません。マーケティングで利用される動画には、次のような種類があります。

　こうした動画の視聴は、意外かもしれませんがスマートフォンが中心です。先の調査でも、スマートフォン動画広告が全体の約8割を占めていたといいます。

　今後、5G回線の普及が進めば、動画の配信でよく見られる遅延もほぼなくなり、多数同時接続も可能になります。動画マーケティングの重要性はますます大きなものになっていくでしょう。

メール・マーケティング

　ウェブと並ぶ、デジタル・マーケティングの1ジャンルが「**メール・マーケティング**」。メール・マガジンへの広告出稿、**ターゲティング・メール広告**（☞P.253）のほか、**オウンド・メディア**（☞P.217）としてメール・マガジンを運営する方法などがあります。
　オウンド・メディアとしてのメール広告とメルマガでは、下図のような点が特長です。

メール・マガジン

　企業が顧客に「**メール・マガジン**」を配信することも一般的です。ただのメール広告よりも多彩な内容が盛り込めます。しかし消費者が多様化した今日、全員に画一的なメルマガを、決まった配信日に送るのは考えもの。顧客をセグメントして、セグメント別に違うコンテンツを、違うタイミングで送ることなどが求められます。

オプト・イン

　メール・マーケティングは「**特定電子メール法**」の規制を受けます。送信者の住所など、記載必要事項が法律で定められているのです。とくに、受信者に事前の同意を得る「**オプト・イン**」と、いつでも配信停止ができる「**オプト・アウト**」に関する記載が重要になります。

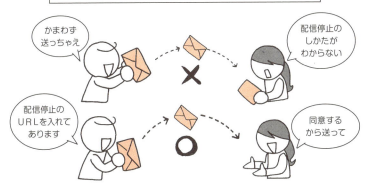

バイラル・マーケティング

商品やサービスを利用した消費者が、クチコミで次々に知人に紹介するように仕向けるマーケティング手法が「**バイラル・マーケティング**」。「バイラル」は「ウイルス性の」といった意味で、成功すれば短時間で爆発的に広まることから、こう名付けられています。

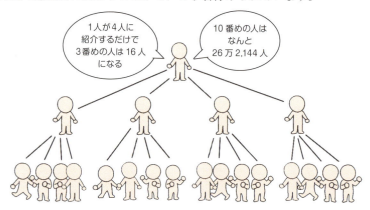

ステルス・マーケティング

バイラル・マーケティングは、プロモーションであることを隠しておこなうと「**ステルス・マーケティング（ステマ）**」になってしまいます。レーダーに映りにくいステルス戦闘機のように、こっそりおこなわれるプロモーションのことです。ステルスは「内密」といった意味。芸能人が、謝礼を受け取ってブログでサイトの紹介をした事件が発覚し、いまではすっかり一般名詞化しました。

インフルエンサー

人々の消費行動に大きな影響力をもつ人を「**インフルエンサー**」といいます。その分野の専門家や、好感度の高い有名人などですね。インフルエンサーがマスメディアなどで紹介した商品やサービスが、爆発的にヒットすることも珍しくありません。このインフルエンサーを見つけ出し、好意的なメッセージを発信してもらうのが「**インフルエンサー・マーケティング**」です。

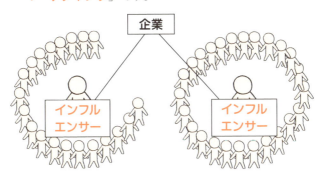

アルファブロガー

その分野の知識や技術が豊富で、その知識や技術を活かしたブログが注目されて多くの読者をもち、影響力が大きなブロガーが「**アルファブロガー**」。もちろん、重要なインフルエンサーです。アメリカでは「A-List Blogger」と呼ぶそうです。

※アジャイルメディア・ネットワーク社主催のコンテスト「アルファブロガー・アワード」から広まった用語。現在は、同アワードは開催されていないが、公開された「アルファブロガー・リスト」をネット上で見ることができる

クチコミ・マーケティング

バイラル・マーケティングやインフルエンサー・マーケティングのように、クチコミを利用するマーケティングの総称が「**クチコミ・マーケティング**」。下図は、アメリカのクチコミ・マーケティング協会（Word Of Mouth Marketing Association）による11分類です。

バズ・マーケティング	バイラル・マーケティング	インフルエンサー・マーケティング	コミュニティ・マーケティング
	☞P.266	☞P.267	☞P.286
草の根マーケティング	エバンジェリスト・マーケティング	製品種まき	コーズ・マーケティング
☞P.284	☞P.274	☞P.288	☞P.274
対話創造	ブランド・ブログ	紹介プログラム	
☞P.288	☞P.292	☞P.287	

バズ・マーケティング

クチコミ・マーケティングの筆頭格が「**バズ・マーケティング**」。「バズ」とは、羽音のようなブンブンという音のこと。人々がアチコチでガヤガヤと噂話をしている状態です。とにかく噂話の総量を増やして、話題をさらおうというもの。クチコミ・マーケティングと同義とされることがあります。

キャズム

　マーケティングの対象となる製品も、現代ではテクノロジーのかたまり。こうしたハイテク製品や産業では、従来の常識があてはまらないと唱えたのが**ジェフリー・ムーア**氏。著書の中で、イノベーター理論の「**普及率16％の論理**」（☞ P.147）の先には、大きな「**キャズム（亀裂）**」があり、多くの新製品はそこに落ちて普及しないと指摘しました。

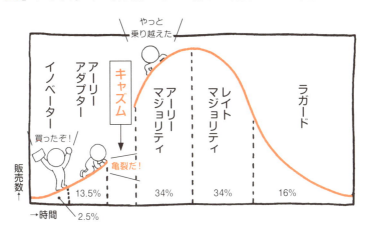

　ムーア氏は、キャズムの前を「**初期市場**」、後を「**メイン・ストリーム市場**」と分け、メイン・ストリーム市場に対しては別のマーケティングでアプローチすることが必要だと説きました。

　この「**キャズム理論**」は、テクノロジーの進歩が速く、激しい産業で重視されています。

who's who

ジェフリー・ムーア（1946年〜）
アメリカのマーケティング・コンサルタント。著書『キャズム（Crossing the Chasm）』は、ハイテク産業のマーケティング・バイブルといわれている。

ロングテール

　20対80の法則（☞P.154）に異を唱える形で、ネット通販のビジネス・モデルを説明したのが、アメリカ『Wired』誌の編集長だった**クリス・アンダーソン**氏。通常、リアル店舗では、棚や在庫コストなどの制約から「商品の20％が売上げの80％を占める」状態になります。在庫品目と売上高のグラフで見ると、下図のような感じです。

　しかしネット通販では、店舗をもたないことと、在庫と流通のコスト低減によって、たとえ1年に1個しか売れない商品でも置くことができます。そして、1億種類以上の商品を扱うamazonのようなネット通販では、そうした商品の売上げも巨大な収益源になるのです。そうすると、グラフは下図のようになります。これが「**ロングテール**」です。少量しか売れない商品も品揃えに加えることで、販売機会を取り逃すことがなくなり、ネット通販は巨大な産業に成長したのです。

フリーミアム

　ロングテールと同じく、**クリス・アンダーソン**氏が、本の中で紹介して有名になったのが「**フリーミアム**」。基本のサービスは**フリー**（無料）で提供し、特別な機能を**プレミアム**（割増料金）にして、企業の収益を確保するビジネス・モデルです。たとえば、オンラインゲームをプレーするのは無料、ゲームをより楽しくするアイテムは割増料金、といった具合です。

　従来、無料でサービスを提供するビジネス・モデルは、広告収入に頼るのが通常でした。フリーミアムの場合は、広告収入を求めないか、求めても基本のサービスを支える程度にする点が異なります。ネット上のサービスやコンテンツなどは、ランニング・コストが低いため、このビジネス・モデルが成り立つのです。

　現在ではネット上のサービスの半分くらいが、このフリーミアムのビジネス・モデルを採用しているといわれます。

ビッグデータ

　今後、マーケティングにとって重要性を増すのが「**ビッグデータ**」の活用です。すでに、ソーシャル・メディア・データを利用した**ソーシャル・リスニング**（☞P.262）、ウェブサイト・データを利用した**レコメンド**（☞P.234）などが一般的になっていますが、それだけではありません。下図のようなビッグデータの活用が見込まれています。

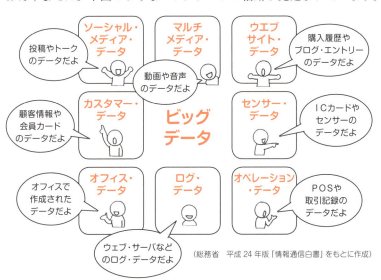

（総務省　平成24年版「情報通信白書」をもとに作成）

　たとえば、ポイントカードの導入により、店頭での購入履歴をカスタマー・データとして把握することが可能です。すでに、それを活用して商品構成を変えるといった事例もあります。そして、**IoT**（☞P.279）の進展により、インターネットにつながったあらゆるモノのセンサー・データも利用が可能になります。

マーケティング 3.0

「マーケティング3.0」は、コトラー先生（☞P.20）が2010年に出版した本のタイトルと、本の中で提唱した考え方。さまざまな内容を含むので説明しきれません。そういう用語があることだけ覚えてください。1つだけキーワードをあげるとすれば、「**価値主導のマーケティング**」。マーケティング1.0、2.0との違いは下図のとおりです。

マーケティング 4.0

コトラー先生は、2014年には「**マーケティング4.0**」を提唱されました。こちらも1つだけキーワードをあげるとすれば、「**自己実現のマーケティング**」。そう、**マズローの法則**（☞P.54）の最終段階をモデルにしているんですね。

エバンジェリスト・マーケティング

クチコミ・マーケティング（☞P.268）の1つ。エバンジェリストはキリスト教の伝道師のこと。企業に代わって伝道師のように、企業のメッセージを広めてくれるファンを養成してクチコミを広める。

コーズ・マーケティング

クチコミ・マーケティングの1つ。causeは、大義といった意味。商品の売上げの一部が寄付されるなど、企業が社会的に意義のある活動をおこない、それがクチコミで広がることによって企業の好感度を高める。

協働マーケティング

マーケティング3.0（☞P.273）を構成する3つの要素の1つ。企業は単独で活動するのではなく、他企業や株主、従業員、消費者と協力して働く。

スピリチュアル・マーケティング

マーケティング3.0を構成する3つの要素の1つ。顧客は精神を揺さぶられるような感動というニーズをもち始めている、として、企業はその社会的課題を解決する方法と価値観を提示する必要があると説く。

文化マーケティング

マーケティング3.0を構成する3つの要素の1つ。テクノロジーの進歩とグローバル化が引き起こす文化的な課題からビジネス・モデルを考える。

巻末付録

マーケティング用語事典

〈巻末付録〉マーケティング用語事典

数　字

1対5の法則
　一般的に、新規の顧客を獲得するのにかかるコストは、既存の顧客を維持するコストの5倍かかる、という法則。ここから、利益率の面からは、新規顧客の獲得よりも既存顧客の維持が重要だということがわかる。

3i
　「3iモデル」ともいう。マーケティング3.0（☞P.273）で重要視されるブランドの3つの要素。マーケティング3.0では、ブランド、ポジショニング、差別化の、三角形のバランスが重要とされる。そして右図のように、たとえばポジショニングと差別化からブランド・インテグリティ（誠実さ）が形づくられるというように、ブランドのポジションを示す「brand identity」、誠実さを示す「brand integrity」、ブランドに対する消費者の感情を示す「brand image」の3iが形づくられる。

5対25の法則
　一般的に、顧客離れを5％改善できれば、利益率が25％向上するという法則。同じ商品の再購入なら販売員の説明などが省けるうえ、既存の顧客が新規顧客を紹介したり、次回はより高額な商品を購入する傾向があることから、利益率の向上が期待できる。ここからも、既存顧客維持の重要性がわかる。

7S
　「マッキンゼーの7S」ともいう。企業戦略にそった組織運営を考える

際のフレームワーク。アメリカのコンサルティング会社マンキンゼー・アンド・カンパニーが提唱した。下図の「S」を頭文字とする7つの経営資源をあらわす。ハードウェアの3Sと、ソフトウェアの4Sに分けられ、ハードは比較的短期間に変更可能、ソフトは簡単に変更できずコントロールしにくい。戦略の実行には、手をつけやすいハードだけでなく、ソフトも含めた全体の融合と整合性が重要と説く。

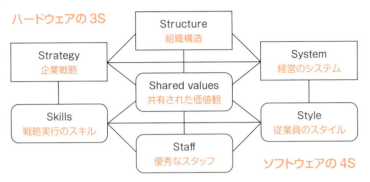

アルファベット

AIO

「AIO分析」ともいう。消費者のライフスタイルや価値基準を分析する手法の1つ。どんな活動（Activity）をし、どんな関心（Interest）をもち、どんな意見（Opinion）をもつかの3つを軸に分類する。

BtoB

「Business to Business」の略。「B2B」とも書く。企業間の取引のこと。もとはEコマース（電子商取引）での取引のことをいったが、BtoC、BtoGなども含めて、現在ではネット以外の取引もさす。「BtoBの市場規模」「BtoBマーケティング」などと使用する。

BtoC

「Business to Comsumer」の略。「B2C」とも書く。企業と消費者間の取引。「BtoC企業」「BtoC事業」などと使用する。BtoBも参照のこと。

BtoG

「Business to Government」の略。「B2G」とも書く。企業と行政機関

間の取引。BtoB も参照のこと。

CLO
「Card Linked Offer」の略。カード連携型の特典といった意味。クレジット・カードやデビット・カードなどの決済・購買履歴や、利用者の性別・年齢などにもとづいて、それぞれに合ったクーポンなどの特典を提供するマーケティング手法。2013年頃から日本でも盛んになった。

CSR
「Corporate Social Responsibility」の略。日本語では「企業の社会的責任」。現代では、企業は利益を追求するだけでなく、自社の活動が社会に与える影響に責任をもたなければならない。自社の顧客だけでなく、消費者、地域住民、取引先、投資家などのステーク・ホルダー、さらに社会全体に対して責任を有する。

CTA
「Call To Action」の略。日本語では「行動喚起」。ウェブ・サイトの訪問者に対して、サイトが目的とする申込みや問い合わせといった特定の行動をうながすこと。また、そのページに誘導するためのバナーやリンク。ランディング・ページ（☞P.233）に置くのはもちろん、検索エンジンから流入する訪問者のために、効果的なページに置くことが大切。

CtoC
「Comsumer to Comsumer」の略。「C2C」とも書く。消費者と消費者の間の取引のことで、ネット・オークションが代表的。BtoB も参照のこと。

DMP
「Data Management Platform」の略。さまざまなデータを一元的に管理・分析し、最適の広告配信などを行うプラットフォーム。ネット上のいろいろなサーバーにあるビッグデータなどを利用できるクラウド型プラットフォームの「オープン DMP」と、自社サイトの購買履歴や顧客情報をオープン DMP とリンクさせる「プライベート DMP」の2種類がある。

DMU

「Decision Making Unit」の略。意思決定単位といった意味で、購買などの意思決定に関与するグループをさす。たとえば、夫が運転するクルマ選びに、大きな影響を与える家族など。BtoB（☞ P.277）では、実際に使用するユーザーのほかに、決定権者である上司や、購買担当者がいることが多く、DMUの把握がとくに重要になる。

EC サイト

商品やサービスをインターネット上で販売するサイト。ECはEコマースの略。

Google+（プラス）

Googleが提供するSNS。FacebookとX（旧Twitter）の中間のような性格をもつ。Google+への投稿は、Google検索の上位に表示されるとも。

Google マイビジネス

会社や店舗の情報を登録しておくと、Google検索やGoogleマップなど、Googleのさまざまなサービスで情報を表示させることができるサービス。登録は無料。

imp

「impression」の略。「インプ」と読む。インプレッション（☞ P.247）のこと。広告が表示されること。広告が表示された回数（インプレッション数）のこと。「1,000impあたりの収益」などと使用する。

IoT

「Internet of Things」の略。日本語では「モノのインターネット」。PCやスマートフォンなどの情報通信機器だけでなく、家電やさまざまな機器類をインターネットに接続すること。機器のセンサーにより離れた場所の状態を知ることができ、インターネットで通信することにより機器が操作できる。センサー・データは、ビッグデータとしての活用も期待されている。

KGI

「Key Goal Indicator」の略。日本語では「重要目標達成指標」。組織やプロジェクトが最終的に達成すべき目標をあらわす指標。売上高、利益率、成約件数などの定量的な目標を、いつまでに〇〇億円、〇〇％、〇〇件などと具体的に定める。ＫＧＩを達成するために、プロセスの達成度を示す中間目標の指標としてＫＰＩを定める（☞P.226）。たとえばＥＣサイトで、今月の成約件数100件というＫＧＩを設定し、訪問者の10％が成約しているというデータがあるとすると、ＫＰＩとして訪問数1000を設定し、期間中の達成度を管理する。

LINE 広告

LINEが提供する運用型広告（☞P.245）。公式アカウント（☞P.249）に比べて、比較的少ない費用でターゲットを絞った広告配信ができるので、出稿の可能性が広がった。広告は、Smart Channelやタイムライン、LINE NEWSなどに表示される。

LOV

「List Of Values」の略。日本語では「価値リスト」。消費者のライフスタイルや価値基準を分析する手法の１つ。自尊心、安心感、達成感など９つの言葉について、重要と思う順に並べるなどの方法で消費者の行動様式を類型化する。VALS（☞P.282）とともに、アメリカのミシガン調査研究センターの調査をもとに開発された。

OtoO

「Online to Offline」の略。「O2O」「On2Off」とも書く。ネット（オンライン）からリアル店舗（オフライン）での行動をうながしたり、オンラインからオフラインの購買行動に影響を与えたりする手法。公式アプリ（☞P.256）でクーポンを配布したり、位置情報連動型広告（☞P.256）などが例にあげられる。

Pinterest

画像共有のSNS。自分で撮影した画像を自分のボードに集めるほか、他のユーザーのPin（投稿）をRepin（お気に入り登録）することで共有する。Pinterest以外のサイトの画像をPinすることもできる。

PL法

　PLは「Product Liability」の略。「製造物責任法」のこと。製造、加工、輸入など、一定の表示をして引き渡した製造物に欠陥があって、消費者の生命、身体、財産を侵害したときは、故意・過失に関わらず、製造業者などに損害を賠償する責任があることを定めている。

QRコード

　モバイル端末用のマトリックス型二次元バーコード。デンソーにより開発された。QRは「Quick Response」の略。専用のソフトを利用して誰でも作成できるため、一般の企業にも利用が広がっている。リアルとネットをつなぐOtoO（☞P.280）のツールとして「QRコード・マーケティング」も提唱されている。

RFM分析

　Recency（直近の購入日）、Frequency（購入頻度）、Monetary（購入金額）の3つで顧客をグループ化し、それぞれのグループに最適のマーケティングをおこなう手法。単に購入金額の大きさだけでなく、遠い過去に一度だけ大きな買い物をした顧客や、最近小さな買い物を頻繁にしている顧客などが区分できる。

ROAS

　「Return On Advertising Spend」の略。日本語では「広告費用対効果」。売上高を広告費で割って計算する。支出した広告費に対して何倍の売上げがあったかがわかり、倍率が大きいほど効果的な広告とわかる。ネット広告では、個別の広告によって発生した売上げが把握できるので、広告ごとのROASを計算することが可能。

RSS広告

　RSSは「Rich Site Summary」の略で、主にウェブ・サイトの更新情報やニュースの要約などを配信する技術。そのためにウェブ・サイトが提供するRSSフィードとともに配信されるのがRSS広告で、RSSリーダーの画面上に記事と並べて表示される。

VALS

「Value And LifeStyle」の略。消費者のライフスタイルや価値基準を分析する手法の1つ。社会・経済の発展や、それに対する心理が消費者のライフスタイルに影響を与えているとして、ライフスタイルを9つに分類する。すなわち、自己実現者、成功者、成功願望派、社会良識派、知性派、若手知性派、集団帰属者、生活維持者、生活困窮者の9つ。LOV（☞ P.280）も参照のこと。

あ行

アドワーズ・エクスプレス

Google 広告（☞ P.239）を簡単にした広告サービス。3ステップ、数クリックで広告の配信ができるとされる。ウェブ・サイトをもたないリアル店舗などのローカルビジネスに向く。

アンバサダー

文字どおりの意味は、大使や使節だが、近年のマーケティングでは、ソーシャル・メディアを通じて自分の好きな企業やブランドの情報を積極的に発信し、他のユーザーのサポートなどまでおこなうファンのことをいう。こうしたファンを通じて、商品やサービスの魅力を伝えていく手法を「アンバサダー・マーケティング」と呼ぶが、まだ新しい分野であり明確な定義はない。

インサイト

本来の意味は、洞察、発見などだが、マーケティングでは消費者が本当に欲していること・もの、本音といった意味で使用する。つまり、消費者を観察し、ときには本人も気づいていない本当に欲しいもの・ことを発見すること、およびその発見したもの・ことの意味。「顧客インサイトを知ろう」「消費者インサイトを探れ」などと使用する。

インタラクティブ・マーケティング

広告など一方通行のコミュニケーションと異なり、Interactive（双方向の）コミュニケーションを通じておこなうマーケティングの総称。カタログ、電話、店頭、訪問などがあげられるが、とくにインターネット

によるマーケティングをさすことが多い。

インフィード広告
　ウェブ・サイトやアプリの、コンテンツとコンテンツの間に表示されるタイプの広告。SNSやキュレーション・サイトなどでよく見かける。

インプレッション保証型広告
　表示回数に応じて広告料金が発生するインプレッション課金型広告に対して、あらかじめ保証された表示回数に達するまで表示される広告。

インリード動画広告
　ウェブ・ページをスクロールして、動画広告枠が画面に表示されると再生が始まる動画広告。通常、メイン・コンテンツの中にある。

ウェブ・ビーコン型
　アクセス解析ツール（☞P.227）の一般的なタイプ。Google analyticsもYahoo!アクセス解析もこの型を採用している。ウェブ・ページのHTMLファイルにJavaScriptのタグや、特殊な画像を貼り付け、そのページが表示されるとデータを外部の解析用コンピュータに送る。「タグ型」ともいう。

オープン価格
「オープンプライス」ともいう。メーカーが希望小売価格（☞P.284）を設定しないで、小売業者の判断で販売価格を決める方法。希望小売価格を決めて、実際の販売価格との差が大きいとたたき売りの印象が強くなるため、製品ライフサイクル（☞P.149）の成熟期で値くずれしやすい商品や、衰退期で在庫をさばきたい商品などでオープン価格が採用されることが多い。

か行

カニバリゼーション
　文字どおりの意味は、共食い。新商品の投入による既存商品の売上減少など、自社商品が自社商品を浸食してしまう現象。

巻末付録　マーケティング用語事典

感性消費
　商品やサービスを選択する際の判断基準は、一般的には「良いか悪いか」と考えられがちだが、「好きか嫌いか」という感覚的な基準で選択される傾向が強くなっている。これが感性消費で、「良いか悪いか」で選択するのは「理性消費」と呼ぶ。

希望小売価格
「メーカー希望小売価格」ともいう。メーカーが設定する小売段階の販売参考価格。あくまでも参考価格で、メーカーが小売価格を指定することは独占禁止法で原則禁止とされているため、拘束力はない。小売業者は、希望小売価格を参考にして、実際の販売価格を決めることになる。

共生マーケティング
「コ・マーケティング」ともいう。企業と企業、企業と消費者は共に生きるものとの考えから、利益よりも信頼、とくに消費者の信頼を重視するマーケティング。コ・マーケティング（☞P.286）も参照のこと。

競争優位
　競合他社より優れた商品やサービスを提供したり、より低価格で提供するなど、競争上の優位性のこと。しかし今日では、他社が真似できない優位性はまれで、デザインやブランドなど複数の要素で優位性を保つことが多い。それを見きわめるためのフレームワークとしてバリュー・チェーン（☞P.291）がある。

キーワード・プランナー
　Google広告のツールの1つ。語句を検索して新しいキーワードを探したり、過去の検索件数など広告掲載結果のデータを確認できる。予想クリック数や推定コンバージョン数などを確認して、入札額や予算の設定に活用することも可能。

草の根マーケティング
　クチコミ・マーケティング（☞P.268）の1つ。個人や地域など草の根のレベルで顧客を組織化し、動機づけをおこなうことでクチコミを広める。

クリック保証型広告
　クリック回数に応じて広告料金が発生するクリック課金型広告に対して、あらかじめ保証されたクリック数に達するまで掲載される広告。

クロス・マーチャンダイジング
「クロス MD」とも書く。本来違う売り場の商品でも、関連の深い商品を同じ売り場に陳列する手法。酒類の売り場に、おつまみを陳列する例などが一般的。

グロースハック
　商品やサービスの成長（growth）を目標として、マーケティングだけでなく商品やサービス自体の改良も繰り返し、課題を解決する手法。アメリカの起業家ショーン・エリス氏が提唱した新しいタイプのマーケティング責任者「グロースハッカー」に由来する。

景品表示法
「景表法」ともいう。正式名称は「不当景品類及び不当表示防止法」。過大な景品付き販売、誇大広告、不当な価格表示などに対し、公正取引委員会がこの法律にもとづく排除命令を出す。

ゲーミフィケーション
　クエスト、経験値、レベルアップ、アバターなど、さまざまなゲームの要素をゲーム以外の活動やサービスに利用すること。主に、ユーザーのモチベーションやロイヤルティの向上を目的とする。

広告効果測定
　広告の効果がどれだけあったか、客観的に測ること。マス広告などでは技術的にむずかしかったが、ネット広告ではアクセス解析などの技術により客観的な測定が可能になった。さまざまな「広告効果測定ツール」が開発されており、それらを利用しておこなう。

行動ターゲティング広告
　ウェブ・サイトの閲覧履歴、広告のクリックなどの行動履歴、EC サイトの購入履歴などをもとに配信されるターゲティング広告（☞ P.288）。

顧客シェア

英語で「wallet share」といい「財布シェア」という意味。ひとりの顧客の財布（支出）を自社がどれだけ占有しているかという考え方。市場シェアで考えると、新規顧客の開拓は不可欠だが、コストが高くつく。成熟した市場ではＣＲＭなどにより顧客ロイヤルティを高めて、既存客の財布に占めるシェアを高めたほうが有効である。

個人情報保護法

正式名称は「個人情報の保護に関する法律」。個人情報の適正な取扱い、個人情報を取り扱う事業者の義務などについて定める。

コ・マーケティング

「コラボレイティブ・マーケティング」ともいう。複数の企業がパートナーとして協力し、互いの経営資源を活用することによって、それぞれの単純合計以上の効果を上げる。共生マーケティング（☞P.284）も参照のこと。

コミュニティ・マーケティング

クチコミ・マーケティング（☞P.268）の１つ。企業がネット上のコミュニティや、オフラインの会員組織などのコミュニティをつくり、コンテンツや情報の提供でサポートすることにより、コミュニティ内で活発なクチコミを起こす。

コレスポンデンス分析

多変量解析（☞P.131）の手法の１つ。クロス集計結果を散布図に表現する。

さ行

再販売価格維持

「再販制度」ともいう。日本では、メーカーが小売価格を指定して販売させることが独占禁止法で原則禁止とされているが、例外として著作物はメーカーが定価を定めることができる。書籍、雑誌、新聞、音楽用のＣＤ・レコード・テープの４種類だけが対象。

サステナビリティ

日本語では「持続可能性」。一般的な意味としては、社会と地球環境を将来に渡って保ち続けること、そのための取組み。CSR（☞P.278）と同様、サステナビリティを意識した企業活動、マーケティング活動が求められている。

サブリミナル効果

人が認識できない、意識と無意識の境界付近に刺激を与えるとあらわれるとされる効果。よくあげられる例は、動画の中に知覚できないほどの短時間、画像を挿入すると視聴者の欲求が刺激されるというもの。心理学の実験では効果が否定されているが、NHK や民放の放送基準では使用が禁止されている。

サーバ・ログ型

アクセス解析ツール（☞P.227）の最も古くからあるタイプ。ウェブ・サーバに記録されたアクセス・ログを、別の解析用コンピュータで解析する。

シナジー効果

相乗効果のこと。たとえば、複数企業がそれぞれ独立して経営されるより、持株会社のもとで統合的に経営されるほうが効果的な場合がある。

主成分分析

多変量解析（☞P.131）の手法の1つ。多変量のデータを統合して、新たに総合的な指標をつくり出す。

紹介プログラム

クチコミ・マーケティング（☞P.268）の1つ。顧客が、友人や知人を企業に紹介するプログラムを提供してクチコミにつなげる。

消費者基本法

消費者と事業者の間に情報量、交渉力の差があることから、消費者の権利の尊重、自立の支援、事業者が果たすべき責務などを定めた法律。

消費者契約法
　消費者基本法と同様の趣旨で、消費者が誤認または困惑した場合に、契約の申込みや受諾の意思表示を取り消す権利を定めた法律。

スペース・マネジメント
「SPM」とも略す。インストア・マーチャンダイジング（☞P.212）の柱の1つ。店内のコーナー割り、棚割りをおこなう「フロア・マネジメント」や、棚の商品陳列、コーナーの商品陳列をおこなう「シェルフ・マネジメント」がある。

製品種まき
　クチコミ・マーケティング（☞P.268）の1つ。製品の情報やサンプルなどを、適切な時期と場所を選んで、オピニオン・リーダー（☞P.53）やインフルエンサー（☞P.267）に提供する。

ゾーニング
　売り場で商品をどの位置に、どれくらいのスペースで、どのように置くかということ。床上60～160cmの範囲は、目にとまりやすく手にとりやすいので「ゴールデンゾーン」と呼ばれる。ゴールデンゾーンに多くのカテゴリーの商品が入るよう、同じカテゴリーの商品を縦に並べるのを「バーチカル（垂直）陳列」、ゴールデンゾーンに人気のカテゴリーが入って売り場の印象を強くするよう、同じカテゴリーの商品を横に並べるのを「ホリゾンタル（水平）陳列」と呼ぶ。

た行

対話創造
　クチコミ・マーケティング（☞P.268）の1つ。話題を呼ぶ広告、SNSへの投稿、キャッチフレーズなどで、クチコミを広める。

ターゲティング広告
　ネット上のユーザーやコンテンツを分析し、ターゲットを絞って配信される広告の総称。行動ターゲティング広告（☞P.285）やリターゲティング広告（☞P.242）などがある。

チーム・マーチャンダイジング

製造業者・卸売業者・小売業者が、チームとして商品開発などをおこなうマーチャンダイジング（☞P.152）。チームとして動くことで、顧客のニーズをより反映した商品を、より短期間で開発できる。また、需要に応じた生産や流通を柔軟におこなうことが可能になる。

定性分析

数値にあらわせない質的なデータを対象におこなう分析。たとえばウェブ・マーケティングでは、A/Bテスト（☞P.235）、やソーシャル・リスニングなどの手法が用いられる。

定量分析

数値として把握できるデータを対象におこなう分析。たとえば、ウェブ・マーケティングにおけるアクセス解析（☞P.227）など。

デジタル・テレビ

デジタル化によって多チャンネル、高精細、データ放送などが可能になった。日本では現在、地上デジタル、BSデジタル、CSデジタルが放送されている。ワンセグもデジタル・テレビの一種。

デジタル・ラジオ

デジタル化によって高音質、データ放送などが可能になった。日本では現在、地上デジタル音声放送、BSデジタル音声放送、CSデジタル放送などがある。

デシル分析

顧客を購買金額によりグループ分けし、グループごとにマーケティングを変えるための分析法。デシルは10等分の意味で、顧客を購買金額の多い順にデシル1からデシル10までのグループに10等分する。そしてグループごとの購入金額と全体に対する比率、累積購入金額比率を計算・分析する。

テスト・マーケティング

新商品やサービスの発売前に、限られた地域やチャネルを使ってテス

ト的に販売する手法。その反応から、正式に発売した場合の状況を予測し、商品や販売・生産の計画、訴求の方法などを修正する。

独占禁止法
「独禁法」ともいう。正式名称は「私的独占の禁止及び公正取引の確保に関する法律」。公正で自由な競争を促進するために、市場の独占、企業同士の価格協定、不公正な取引などを禁じている。

ドミナント戦略
ドミナントは「支配的な」といった意味。小売業でチェーン展開をする際に、地域を特定して集中的に多数の店舗を出店する戦略。経営効率が高まるととともに、その地域内で支配的なシェアが狙える。

トラフィック
もともとはネットワーク上を流れるデータ量のことだが、ウェブ・マーケティングではサイトへのアクセス数をトラフィックと呼ぶ場合がある。

トリガー
もとは「引き金」の意味。顧客に行動を起こさせるキッカケのこと。たとえば、期間限定や数量限定の表示があると、すぐに買うというキッカケになる。また会員登録をすると、誕生日などにメールで特別なメッセージやクーポンなどが送られてくるものを「トリガーメール」という。

トレーサビリティ
日本語では「追跡可能性」。商品やサービスの生産・加工・流通の履歴の確認・追跡が可能なこと。食品や宅配便などで採用されている。ウェブ・マーケティングにおいては、ウェブ・サイト内の訪問者の行動追跡などをさす。

トレード・オフ
複数の要素の利害が相反し、両立し得ない関係のこと。高品質で低価格など、マーケティングではトレード・オフの克服が課題になることが多い。

な行／は行

ネーミングライツ
日本語では「命名権」。主としてスタジアムなどのスポーツ施設に、スポンサー企業の社名やブランド名を付ける権利。施設側には収入の確保、スポンサー側では主に広告効果が得られる。

ハインリッヒの法則
「1対29対300の法則」ともいう。1件の重大事故の背景には29件の軽い事故があり、さらに300件のヒヤリ・ハットがあるという法則。アメリカの損保会社に勤務していたハーバート・W・ハインリッヒ氏が、労働災害の分析から発見した。ビジネスでは、大問題1件の裏に、顧客からのクレームが29件、社員の小さな失敗が300件あるなどという。

パケット・キャプチャリング型
アクセス解析ツール（☞ P.227）のタイプの1つ。ウェブ・サーバに流れるパケットをキャプチャし、データを別の解析用コンピュータに送って解析する。

バリュー・チェーン
日本語では「価値連鎖」。自社の付加価値の生み出し方や競争優位（☞ P.284）のありかを明らかにするためのフレームワーク。図のように原材料の購買から製造、出荷、販売、アフター・サービスと、各プロセスで付加価値を加えていくことが企業の主活動であるとして、それぞれの役割、コスト、貢献度を明らかにする。ポーター先生（☞ P.83）が著書『競争優位の戦略』の中で提唱した。

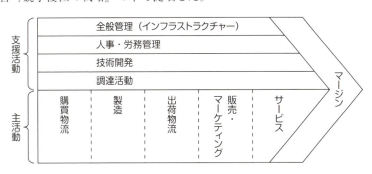

パーミッション・マーケティング

事前に顧客の許可（パーミッション）を得て、ダイレクト・メールなどのマーケティング活動をおこなう手法。一方的なメールなどで顧客の好感度を下げるのを防ぎ、レスポンス率が高くなるなどの効果がある。

フィランソロピー

英語で「慈善活動」の意味だが、日本では主として企業の社会貢献活動をさす。学術研究に対する支援や、福祉施設に対する援助、地域活性化・環境保全への協力など、さまざまな分野がある。

不正競争防止法

同業者間の不正な競争を防止する法律。商品の形を真似て誤認させたり、製造方法の機密を不正に入手する行為などに罰則が科せられる。偽ブランドや海賊版の販売も刑事罰の対象となる。

ブランド・ブログ

クチコミ・マーケティング（☞P.268）の1つ。企業がスポンサーとなってブランドのブログを開設し、そのブログ・コミュニティに情報交換の場を提供する。さらに、そのブログ・コミュニティにしかない情報を提供してクチコミを起こす。

プロモトレンド

X（旧Twitter）広告（☞P.248）の1つ。トレンド・トピックのリストの一番上や、ユーザーのタイムラインに、プロモーションのラベルとともに表示される。

ベンチマーク

評価基準といった意味の用語だが、ここでは経営管理の手法をさす。基準となるような、優れた経営方法やマーケティング戦略を見つけ出し、自社の方法や戦略と比較・分析して、改善に役立てる。

ま行／や行／ら行

メセナ
　フィランソロピー（☞P.292）のうち、美術館や博物館の運営、美術展・展覧会への協賛など、とくに文化・芸術関連のものをいう。

ユーザビリティ
　ウェブ・サイトやアプリの使いやすさ、使い勝手のこと。ハードウェアや工業製品全般についての使いやすさをいう場合もある。

リテール・サポート
　リテールは「小売り」の意味。メーカーや卸売業者が、小売業者の経営や販促を支援する活動。経営についてのアドバイスやPOSシステム（販売時点情報管理）の提供、マーチャンダイジング（☞P.152）の提案などの例がある。自社商品の売上げ増加とともに、小売業者との関係強化が狙い。

リード
　つづりは「Lead」。マーケティング活動によって把握した見込み客のこと。ウェブ・サイトなどでの資料請求、展示会などへの来場、テレ・マーケティングに対する好反応などからリードとなる。リードを成約に向けて管理する「リード・マネジメント」などと使用する。

ロゴタイプ
　企業名や商品名の文字をデザインしたもの。企業や商品をブランド化する役割がある。企業や商品のイメージをデザインしたものは「ロゴマーク」という。

索引

あ行

アイサス（エーサス）の法則 ………… 59
愛情と帰属の欲求（欲求段階説）… 56
アイダ（アイーダ）の法則 …………… 58
アイドカ（アイダカ）の法則 ………… 59
アイドマの法則…………………………… 58
アウトバウンド・マーケティング … 225
アクション・マトリクス …………… 117
アクセス解析…………………………… 227
アクセス解析ツール…………………… 227
アドエクスチェンジ ………………… 243
アドテクノロジー ……………………… 245
アドネットワーク広告 ……………… 242
アドフラウド …………………………… 253
アドホック調査 ………………………… 127
アドワーズ・エクスプレス ………… 282
アフィリエイター ……………………… 246
アフィリエイト広告 ………………… 246
アメリカ・マーケティング協会 …29・30
アルバート・ハンフリー ……………… 97
アルファブロガー ……………………… 267
安全の欲求（欲求段階説）………… 56
案内型クエリ…………………………… 223
アンバサダー …………………………… 282
アンゾフの成長マトリックス ………… 94
アーリーアダプター …………………… 147
アーリーマジョリティ ………………… 147
アーンド・メディア ……………216・217
イゴール・アンゾフ ………………94・95
一次データ……………………………… 121
位置情報連動型広告 ………………… 256
一点集中（ランチェスター戦略）… 115
イノベーションのベルカーブ ……… 146
イノベーター …………………………… 146
イベント・スポンサーシップ ……… 203
イベント・プロモーション ………… 203
インサイト……………………………… 282
因子分析 ………………………………… 134
インストア・プロモーション ……… 212
インストア・マーチャンダイジング … 212
インストリーム動画広告 …………… 238
インストール単価……………………… 252
インセンティブ ………………………… 199
インタラクティブ・マーケティング
　………………………………………… 282
インターナル・マーケティング ……… 40
インターネットCM …………………… 238
インデプス・インタビュー ………… 127
インバウンド・マーケティング …… 225
インパクト ……………………………… 197
インバナー動画広告 ………………… 238
インフィード広告 ……………………… 283
インフルエンサー ……………………… 267
インプレッション課金型広告……… 247
インプレッション単価 ……………… 251
インプレッション保証型広告……… 283
インリード動画広告 ………………… 283
ウェブ・ビーコン型 ………………… 283
ウェブ・マーケティング …………… 220
ウォンツ ………………………32・33・123
売り手の交渉力（5つの脅威）…… 86
運用型広告 ……………………………… 245
上澄み吸収価格設定 ………………… 157
エコ・マーケティング ………………… 40
エドモンド・マッカーシー …………… 22
エドワード・ストロング ……………… 58
エバンジェリスト・マーケティング … 274
エブリデー・ロー・プライシング … 162
エムロック……………………………… 262
エリア・マーケティング ……………… 65
エンゲージメント単価 ……………… 252
エントリー・フォーム最適化 ……… 233
オウンド・メディア ……………216・217
大前研一 ……………………………… 105
屋外広告 ………………………………… 202

オピニオン・リーダー …………………… 53
オプト・イン／オプト・アウト …… 265
オムニ・チャネル …………………… 215
折り込み広告 ………………………… 200
折り込みチラシ ……………………… 200
オーガニック・リサーチ ………… 221
オークション価格設定 ……………… 163
オープン価格 ………………………… 283

か行

買い手の交渉力（5つの脅威）……… 86
街頭配布 ……………………………… 201
外部環境 ………………………………… 97
開放的流通 …………………………… 177
買回品（製品分類）………………… 141
価格弾力性（価格弾性）…………… 158
価格適合 ……………………………… 164
価格ライン …………………………… 167
価格割引 ……………………………… 165
カスタマリゼーション ……………… 66
カスタマー・エクイティ …………… 48
カスタマー・ジャーニー・マップ …… 60
カスタマー・バリュー ……………… 37
CRM …………………………………… 49
仮説思考 ……………………………… 122
カタログ・マーケティング ……… 209
カニバリゼーション ……………… 283
金のなる木（PPM分析）………… 111
観察調査 ……………………………… 126
慣習価格（心理的価格設定）……… 169
感性消費 ……………………………… 284
機会（SWOT分析）………………… 98
期間保証型広告 …………………… 247
企業アプリ ………………………… 256
企業ブログ ………………………… 254
記事広告 …………………………207・237
記者発表会 ………………………… 205
季節割引（価格割引）……………… 165
期待製品（製品レベル）…………… 138

希望小売価格 ……………………… 284
基本製品（製品レベル）…………… 138
キャズム …………………………… 269
キャッシュ・バック ……………… 199
キャプティブ製品価格設定 ……… 168
キュレーション …………………… 254
脅威（SWOT分析）………………… 98
強化型広告 ………………………… 192
競合他社の脅威（5つの脅威）……… 84
共生マーケティング ……………… 284
競争戦略 ……………………………… 88
競争優位 …………………………… 284
協働マーケティング ……………… 274
共分散構造分析 …………………… 134
均一価格（心理的価格設定）……… 169
近視眼的マーケティング …………… 43
キーワード・プランナー ………… 284
キーワード連動型広告 …………… 222
草の根マーケティング …………… 284
クチコミ・マーケティング ……… 268
クラスター分析 …………………… 130
クリエイティブ戦略 ……………… 188
クリス・アンダーソン ……… 270・271
クリック課金型広告 ……………… 246
クリック単価 ……………………… 250
クリック保証型広告 ……………… 285
クリック率 ………………………… 251
クロスSWOT分析 ………………… 100
クロス・チャネル ………………… 184
クロス分析 ………………………… 129
クロス・マーチャンダイジング …… 285
グロースハック …………………… 285
クーポン …………………………… 199
経営戦略 ……………………………… 92
ケイパビリティ ……………………… 93
契約単価 …………………………… 251
景品表示法 ………………………… 285
ゲイリー・ハメル …………………… 93
現金割引（価格割引）……………… 165
現行レート価格設定 ……………… 163

検索エンジン最適化 ……………… 222
検索エンジンのアルゴリズム ……… 224
検索キーワード…………………… 223
検索クエリ………………………… 223
検索連動型広告 ………………… 222
ゲーミフィケーション ……………… 285
コア・コンピタンス ………………… 93
広告…………………………… 192
広告効果測定 …………………… 285
広告視聴単価 …………………… 252
広告媒体 ………………………… 194
公式アプリ ……………………… 256
交通広告 ………………………… 202
行動ターゲティング広告 …………… 285
購買決定要因 …………………… 80
光背効果 ………………………… 189
購買行動 ………………………… 50
購買行動プロセス ………………50・58
広報 …………………………… 204
顧客価値 ………………………… 37
顧客シェア……………………… 286
顧客志向 ………………………… 24
顧客生涯価値 …………………… 47
顧客知覚価値 ………………… 44〜46
顧客満足 ……………………… 37・46
顧客ロイヤルティ ………………… 48
後光効果 ………………………… 189
個人情報保護法 ………………… 286
コスト・リーダーシップの戦略 …… 113
コトラー
……20・31・32・35・106・133・186
戸別配布 ………………………… 201
コ・マーケティング ………………… 286
コミュニケーション・チャネル
……………………………172・191
コミュニケーション・ミックス …… 187
コミュニティ・マーケティング …… 286
コレスポンデンス分析……………… 286
コンジョイント分析 ………………… 134
コンテスト ……………………… 199

コンテンツ動画……………………… 263
コンテンツ・マーケティング ……… 224
コンテンツ連動型広告 …………… 240
コンバージョン …………………… 232
コンバージョン率 ………………… 232
コーズ・マーケティング …………… 274
コーブランドの製品分類………… 140
コーポレート・コミュニケーション … 204
コーポレート（企業）ブランド ……… 78

さ行

サイコグラフィックス ……………… 69
再販売価格維持 ………………… 286
サステナビリティ ………………… 287
雑誌（マスコミ4媒体） …………… 195
サブスクリプション ……………… 170
サプライ・チェーン・マネジメント … 180
サブリミナル効果…………………… 287
差別化（クロスSWOT分析）……… 101
差別価格（心理的価格設定）……… 169
差別化戦略 ……………………… 82
差別化の戦略 …………………… 113
差別型価格設定 ………………… 167
参入障壁………………………… 85
サンプリング……………………… 128
サンプル ………………………… 199
サーチエンジン・マーケティング … 221
サーバ・ログ型 ………………… 287
サービス………………………… 142
サーベイ調査……………………… 125
シェアード・メディア ……………… 218
ジェフリー・ムーア ……………… 269
事業拡大マトリックス……………… 94
事業ブランド……………………… 78
自己実現の欲求（欲求段階説）……… 57
市場 …………………………… 34
市場開拓戦略 …………………… 95
市場細分化 ……………………… 67
市場浸透価格設定 ……………… 157

市場浸透戦略	95	生産財(製品分類)	142
市場専門化(標的市場の選択)	71	生産志向	25
市場占有率	87	衰退期(製品ライフサイクル)	151
市場調査	120	垂直的マーケティング・システム	178
市場提供物	136	スタンプ・サービス	199
自然検索	221	ステルス・マーケティング(ステマ)	266
シナジー効果	287		
社会的責任マーケティング	40	スポンサードサーチ	239
重回帰分析	134	成果報酬課金型広告	246
集中の戦略	113	成熟期(製品ライフサイクル)	151
集中的成長	96	成長期(製品ライフサイクル)	150
重点分析	153	成長ベクトル	94
主成分分析	287	製品	136
需要曲線	158	製品アイテム	143
主要成功要因(KSF)	103	製品開発戦略	95
準拠集団	52	製品群ブランド	78
純広告	236	製品志向	25
紹介プログラム	287	製品専門化(標的市場の選択)	71
承認(尊重)の欲求(段階欲求説)	57	製品種まき	288
消費財	142	製品ブランド	78
消費者基本法	287	製品ミックス	143
消費者契約法	288	製品ライフサイクル	149
情報型クエリ	223	製品ライン	143
情報提供型広告	192	製品レベル	137
初期市場(キャズム)	269	成約単価	250
ジョン・ロシター	190	成約率	232
ショールーミング	215	生理的欲求(欲求段階説)	55
新規参入の脅威(5つの脅威)	84	セオドア・レビット	42
新規率	230	セグメンテーション	35・67
人的コミュニケーション・チャネル	191	セグメント・マーケティング	64
人的販売	210	積極的攻勢(クロスSWOT分析)	101
新聞(マスコミ4媒体)	195	セッション(数)	228
心理的価格設定	169	説得型広告	192
シーズ	33	説明動画	263
シーズ志向	33・123	セリング	21
水平的マーケティング・システム	179	潜在製品(製品レベル)	139
数量化理論	134	専守防衛または撤退(クロスSWOT分析)	102
スピリチュアル・マーケティング	274		
スペース・マネジメント	288	選択的専門化(標的市場の選択)	71
数量割引(価格割引)	165	選択的流通	177

専門品 (製品分類) ………………… 141
戦略キャンバス ……………………… 117
戦略的物流 …………………………… 183
セールスショー ……………………… 199
セールス・プロモーション ………… 198
総顧客価値 ……………………………… 44
総顧客コスト …………………………… 44
ソーシャル・メディア・マーケティング
　………………………………………… 257
ソーシャル・リスニング …………… 262
ゾーニング …………………………… 288

た行

タイアップ広告 ……………………… 237
第1次準拠集団 ………………………… 52
耐久財 (製品分類) ………………… 142
代替品の脅威 (5つの脅威) ………… 85
第2次準拠集団 ………………………… 52
ダイレクト・ハンド ………………… 200
ダイレクト (・オーダー)・マーケティング
　………………………………………… 208
ダイレクト・メール ………… 200・209
対話創造 ……………………………… 288
多角化戦略 ……………………………… 95
多角的成長 ……………………………… 96
多変量解析 …………………………… 131
単一セグメント集中 (標的市場の選択)
　…………………………………………… 70
段階価格 (心理的価格設定) ……… 169
段階的施策 (クロスSWOT分析) … 102
ターゲット・リターン価格設定 …… 159
ターゲティング …………………35・70
ターゲティング広告 ………………… 288
ターゲティング・メール広告 ……… 253
知覚価値価格設定 …………………… 160
チャネル ……………………………… 172
チャネル・ミックス ………………… 184
中核ベネフィット (製品レベル) …… 137
注文獲得単価 ………………………… 251

直帰率 ………………………………… 230
地理的価格設定 ……………………… 164
チーム・マーチャンダイジング …… 289
ツイート ……………………………… 260
強み (SWOT分析) …………………… 99
ディスカウント ……………………… 165
ディスプレイ広告 …………………… 241
定性調査 ……………… 124・127・131
定性分析 ……………………………… 289
ディティールド・インタビュー …… 127
デイビッド・アーカー ………… 74・75
定量調査 …… 124～127・129～131
定量分析 ……………………………… 289
ディーラー・ヘルプス ……………… 199
テキスト広告 ………………………… 236
テキスト・マイニング ……………… 131
デジタルサイネージ ………………… 201
デジタル・テレビ …………………… 289
デジタル・マーケティング ………… 214
デジタル・ラジオ …………………… 289
デシル分析 …………………………… 289
テスト・マーケティング …………… 289
デ・マーケティング ………………… 118
デモグラフィックス ………………… 68
デモンストレーション ……………… 199
テレビ (マスコミ4媒体) …………… 194
テレ・マーケティング ……………… 209
店頭ディスプレイ …………………… 199
店頭配布 ……………………………… 201
電話調査 ……………………………… 125
動画広告 ……………………………… 238
動画マーケティング ………………… 263
統合型マーケティング ………………… 31
統合型マーケティング・コミュニケーション
　………………………………………… 211
統合的成長 ……………………………… 96
到達率 ………………………………… 196
導入期 (製品ライフサイクル) ……… 150
独占禁止法 …………………………… 290
特定施設内広告 ……………………… 202

特定電子メール法 ……………………… 265
特別催事価格設定 ………………… 166
留置調査 …………………………… 125
ドミナント戦略 ……………………… 290
ドラッカー …………………………… 21
トラッキング調査 …………………… 127
トラフィック ………………………… 290
トリガー ……………………………… 290
取引型クエリ ………………………… 223
トリプル・メディア ………………… 216
トレンド ……………………………… 132
トレーサビリティ …………………… 290
トレード・オフ ……………………… 290
トレードショー ……………………… 199
ドン・シュルツ ……………………… 211

な行

内部環境 ……………………………… 97
ナショナル・ブランド ……………… 182
ナチュラル・リサーチ ……………… 221
二次データ …………………………… 121
ニッチ・マーケティング …………… 65
入力フォーム最適化 ………………… 233
ニュース・リリース ………………… 205
ニーズ ………………………………32・33
ニーズ志向 ………………………… 33・123
ネイティブ広告 ……………………… 237
ネット調査（ネット・リサーチ）…… 126
ネット媒体 …………………………… 194
ネーミングライツ …………………… 291
ノベルティ …………………………… 199

は行

排他的流通 …………………………… 177
バイラル動画 ………………………… 263
バイラル・マーケティング ………… 266
ハイ・ロー・プライシング ………… 162
ハインリッヒの法則 ………………… 291

バウチャー …………………………… 199
パケット・キャプチャリング型 …… 291
端数価格（心理的価格設定）……… 169
バズ・マーケティング ……………… 268
パッケージング ……………………… 144
ハッシュ・タグ ……………………… 259
花形製品（PPM分析）……………… 111
バナー広告 …………………………… 236
パネル調査 …………………………… 127
パブリシティ ………………… 204・206
パブリック・リレーションズ ……… 204
バリュー価格設定 …………………… 160
バリュー・チェーン ………………… 291
パレートの法則 ……………………… 154
パレート分析 ………………………… 153
ハロー効果 …………………………… 189
販促型価格設定 ……………………… 166
販売志向 ……………………………… 26
販売促進（販促）…………………… 198
販売チャネル ………………………… 172
判別分析 ……………………………… 134
パーソナライズ ……………………… 72
ハート・シェア ……………………… 87
パーミッション・マーケティング … 292
ビジネス・ブログ …………………… 254
非人的コミュニケーション・チャネル
　……………………………………… 191
非耐久財 ……………………………… 142
ビッグデータ ………………………… 272
標的市場 ……………………………… 70
標的顧客 ……………………………… 70
ビークル ……………………………… 197
ピーター・ドラッカー ……………… 21
ファイブ・フォース分析 …………… 108
ファイブ・フォース・モデル ……… 83
ファックスDM ……………………… 200
ファッド ……………………………… 132
ファネル ……………………………… 61
ファミリー・ブランド ……………… 78
ファン獲得単価 ……………………… 252

フィランソロピー	292	プロダクト・ライフサイクル	149
フィリップ・コトラー（☞コトラー）		プロダクト・ライン	143
フォロワーズ	148	プロモアカウント	249
フォーカス・グループ・インタビュー	127	プロモツイート	248
		プロモトレンド	292
普及率16％の論理	147	プロモーション・ミックス	187
不正競争防止法	292	文化マーケティング	274
プッシュ戦略	174	平均滞在時間	231
プライシング	156	平均セッション時間	231
プライスPOP	200	平均ページ・ビュー数	229
プライス・ライン	167	ペイド・パブリシティ	207
プライス・リーダー	170	ペイド・メディア	216
プライベート・ブランド	182	ペイド・リスティング	221
フライヤー	200	ベネフィット	42
ブランディング	76	ペルソナ	61
ブランド	36・74	便益（便益価値）	42
ブランド・アイデンティティ	74	編集タイアップ	207
ブランド・イメージ	75	ベンチマーク	292
ブランド・エクイティ	77	ベンチマーク調査	127
ブランド階層	78	ページ・ビュー数	229
ブランド・コミュニケーション	190	報奨金	199
ブランド戦略	79	膨張製品（製品レベル）	139
ブランド・ブログ	292	報道対策	204
ブランド・ロイヤルティ	36・76	報道発表資料	205
ブリッジピープル	147	訪問面接調査	125
フリークエンシー	196	ポジショニング	35・36・80
フリーペーパー	201	ポジショニング・マップ	81
フリーマガジン	201	ホリスティック・マーケティング	30
フリーミアム	271	ポーターの競争優位の戦略	112
フルカバレッジ（標的市場の選択）	72		
プル戦略	175	## ま行	
ブルー・オーシャン戦略	117		
プレス・カンファレンス	205	マイケル・ポーター	83・112
プレス・リリース	205	マインド・シェア	87
プレミアム	199	マクロ環境	106・133
プロダクト	136	負け犬（PPM分析）	111
プロダクト・アウト	23	マスコミ4媒体	194
プロダクト・ポートフォリオ・マネジメント	110	マス媒体	194
		マス・マーケティング	62
プロダクト・ミックス	143	マスメディア	194

マズローの法則 ……………………… 54
マッカーシーの4P …… 22・109・133
マッキンゼーの7S ………………… 276
まとめサイト …………………………… 254
マルチ・チャネル …………………… 184
マルチチャネル・マーケティング・システム
……………………………………… 179
マークアップ価格設定 ……………… 159
マーケット ……………………………… 34
マーケット・イン ……………………… 23
マーケット・シェア …………………… 87
マーケット・セグメンテーション …… 67
マーケット・チャレンジャー …… 88・89
マーケット・ニッチャー ………… 88・90
マーケット・フォロワー ………… 88・90
マーケット・リーダー …………… 88・89
マーケティング …………………… 20・29
マーケティング・オートメーション … 219
マーケティング環境分析……………… 104
マーケティング・コミュニケーション
……………………………………… 186
マーケティング3.0 ………………… 273
マーケティング志向 …………………… 26
マーケティング・チャネル ………… 176
マーケティングの定義 …………… 29・30
マーケティング・マネジメント・プロセス
……………………………………… 38
マーケティング・ミックス ……… 22・28
マーケティング4.0 ………………… 273
マーケティング・リサーチ ………… 120
マーチャンダイジング ……………… 152
見込み客 ……………………………… 246
ミクロ環境…………………… 106・107
ミクロ・マーケティング ……………… 63
名声価格（心理的価格設定） ……… 169
メイン・ストリーム市場（キャズム） … 269
メセナ………………………………… 293
メッセージ戦略……………………… 188
メッセージの発信源………………… 189
メディア ……………………………… 194
面接調査 ……………………………… 125
メール広告…………………………… 253
メール・マガジン …………………… 265
メール・マガジン広告 ……………… 253
メール・マーケティング …………… 264
モバイル・フレンドリー …………… 258
モバイル・マーケティング ………… 255
最寄品（製品分類） ………………… 140
問題児（PPM分析） ……………… 111

や行

郵送調査 ……………………………… 125
郵送DM……………………………… 200
ユニーク・ユーザー ………………… 228
ユーザビリティ ……………………… 293
（マズローの）欲求段階説 …………… 55
弱み（SWOT分析）…………………… 99

ら行

ライフサイクル ………………………… 53
ライフスタイル ………………………… 69
ライフステージ………………………… 68
ラウターボーンの4C ………………… 27
ラガード……………………………… 148
ラジオ（マスコミ4媒体）…………… 195
ラベリング…………………………… 145
ラリー・パーシー …………………… 190
ランチェスター戦略………………… 114
ランチェスターの第1法則 ………… 114
ランチェスターの第2法則 ………… 116
ランディング・ページ ……………… 233
ランディング・ページ最適化 ……… 233
リコメンド …………………………… 234
リスティング広告 …………………… 238
離脱率 ………………………………… 231
リターゲティング広告 ……………… 242
リッチ・メディア広告 ……………… 238
リテンション・マーケティング ……… 49

リテール・サポート …………………… 293
リベート（価格割引） ……… 165・199
リマインダー型広告 ………………… 192
流通業者 ………………………………… 173
流通チャネル……………………172・173
リレーションシップ・マーケティング
　………………………………………… 40
リーチ…………………………………… 196
リード…………………………………… 293
累積到達率 ……………………………… 197
レイトマジョリティ ………………… 148
レコメンド ……………………………… 234
レッド・オーシャン ………………… 117
ロゴタイプ ……………………………… 293
ロジスティクス ………………………… 183
ロスリーダー価格設定 ……………… 166
ロングテール …………………………… 270
ローランド・ホール ……………………58

わ行

ワン・トゥ・ワン・マーケティング …66

数字

1対5の法則 …………………………… 276
20対80の法則 ………………………… 154
2段階価格設定… ……………………… 168
3C分析（3Cモデル、3Cフレームワーク）
　………………………………………… 105
3 i ……………………………………… 276
4 C …………………………………………27
4 P ……………………………… 22・109
4P分析 ………………………………… 109
5対25の法則 ………………………… 276
5つのM ………………………………… 193
5つの脅威 ………………………………… 83
5つの適正 ……………………………… 152
5F分析 ………………………………… 108
7 S ……………………………………… 276

アルファベット

ABC分析 ……………………………… 153
A／Bテスト …………………………… 235
AD ……………………………………… 192
AIDASの法則 …………………………72
AIDAの法則 ……………………………58
AIDCAの法則 …………………………59
AIDMAの法則 …………………………58
AIO …………………………………… 277
AISASの法則 …………………………59
BOP …………………………………… 118
BTO …………………………………… 180
BtoB …………………………………… 277
BtoC …………………………………… 277
BtoG …………………………………… 277
CI ……………………………………… 212
CLO …………………………………… 278
CLV ………………………………………47
CPA …………………………………… 250
CPC …………………………………… 250
CPD …………………………………… 252
CPE …………………………………… 252
CPF …………………………………… 252
CPI …………………………………… 252
CPM …………………………………… 251
CPO …………………………………… 251
CPV（顧客知覚価値） …………………44
CPV（広告視聴単価） ……………… 237
CRM ………………………………………49
CS …………………………………………46
CSR …………………………………… 278
CTA …………………………………… 278
CtoC …………………………………… 278
CTR …………………………………… 251
CV ……………………………………… 232
CVR …………………………………… 232
DMP …………………………………… 278
DMU …………………………………… 279
DSP …………………………………… 243

ECサイト	279		PLC	149
EFO	234		PL法	281
ES	72		POP広告	200
EメールDM	200		PPC広告	246
Facebook	259		PPM分析（PPMマトリックス）	110
Facebook広告	248		PR	204
FGI	127		PSM分析	161
GCS分析	107		PV数	229
GDN	240		QRコード	281
Googleアドセンス	241		QSP	37
Google広告	239		RFM分析	281
Googleアナリティクス	235		ROAS	281
Google+（プラス）	279		RSS広告	281
Googleマイビジネス	279		RTB	244
GRP	197		SCM	180
IMC	211		SEM	221
imp	279		SEO	222
Instagram	261		SFA	219
IoT	279		SMM	257
IR	212		SNSマーケティング	257
KGI	280		SP	198
KBF	80		SP広告	200
KPI	226		SP媒体	194
KSF	103		SSP	244
LINE	260		STP	35・67
LINE広告	280		SWOT分析	97
LINE公式アカウント	249		UGC	258
LOV	280		USP	103・109
LPO	233		UU	228
LTV	47		VALS	282
MEO	226		VMS	178
MMP	38		VRIO分析	118
MROC	262		Web調査	126
NB	182		Yahoo!広告・検索広告	239
O to O	280		YDA	240
PB	182		YouTube	261
PDCAサイクル	122		YouTube広告	249
PEST分析	106		X（旧Twitter）	260
PESOメディア	218		X（旧Twitter）広告	248
Pinterest	280			

● 著者紹介

野上眞一（のがみ・しんいち）

マーケター、フリーライター。会社勤務を経て、主に「マーケティング」「経営数字」などを中心とした書籍等の執筆、およびそれらのアドバイス、コンサルタントなどをおこなっている。若いビジネスマンや学生、マーケターが中心となった、マーケティングスキル研究会代表。難解なマーケティング戦略や用語を、ビジネスマンや学生にも理解できるようにかみ砕いた説明には定評がある。著書に『18歳からの「マーケティング」の基礎知識』（ぱる出版）『図解でわかるマーケティング　いちばん最初に読む本』『図解でわかるデジタルマーケティング　いちばん最初に読む本』（アニモ出版）など。

本書の内容に関するお問い合わせは、書名、発行年月日、該当ページを明記の上、書面、FAX、お問い合わせフォームにて、当社編集部宛にお送りください。電話によるお問い合わせはお受けしておりません。
また、本書の範囲を超えるご質問等にもお答えできませんので、あらかじめご了承ください。

　FAX：03-3831-0902
　お問い合わせフォーム：https://www.shin-sei.co.jp/np/contact.html

落丁・乱丁のあった場合は、送料当社負担でお取替えいたします。当社営業部宛にお送りください。
本書の複写、複製を希望される場合は、そのつど事前に、出版者著作権管理機構（電話：03-5244-5088、FAX：03-5244-5089、e-mail：info@jcopy.or.jp）の許諾を得てください。
JCOPY ＜出版者著作権管理機構　委託出版物＞

改訂版　マーケティング用語図鑑

2021年2月25日　初版発行
2024年12月15日　第5刷発行

著　　者　　野　上　眞　一
発 行 者　　富　永　靖　弘
印 刷 所　　今家印刷株式会社

発 行 所　東京都台東区　株式　新星出版社
　　　　　台東2丁目24　会社
　　　　　〒110-0016　☎03(3831)0743

Ⓒ Shinichi Nogami　　　　　　Printed in Japan

ISBN978-4-405-10367-2